# 老人支配国家 日本の危機

エマニュエル・トッド



文春新書

1339

## 日本の読者へ——同盟は不可欠でも「米国の危うさ」に注意せよ

私は意に反して「予言者」としばしば評されてきましたが、今の世界を見ていて強く感じるのは、将来を安易に予測するよりも、時代の不確かさに耐えること、行動する前に従来の常識や方針もゼロから疑うことが求められている、ということです。

本書の各章で、私は、欧米の主流派メディアと異なり、米国でのトランプ大統領の誕生や英国のEU離脱を肯定的に評価しています。いずれも「自由貿易から保護貿易への転換」「民主主義の〝失地回復〟」を体現するものだからです。ここ三〇～四〇年にわたる新自由主義の時代は、英米——サッチャーとレーガン——によって始められましたが、新自由主義からの転換もまた英米によって主導されているわけです。一七世紀末以降、世界史にリズムを与え、これを牽引《けんいん》してきたのはアングロサクソンの英米で、この構図は今後も大きくは変わらないでしょう。私はフランス人ですが、個人的にも、フランスの哲学や観念論より、英米の経験主義に敬意と共感を抱いています。

しかし、とくにここ最近、米国の対外政策に不安を感じるようになりました。ちょうど『帝国以後』（藤原書店）を執筆した二〇〇二年に感じたような不安です。『帝国以後』では、九・一一以降にリアリズムから逸脱してアフガニスタンやイラクに次々に侵攻する米国の対外政策、とりわけ「演劇的軍事行動」を分析しましたが、現在の米国の外交や同盟国への振る舞いを見ていると、当時と同じように「米国はどこまで信頼できるのか」という疑念を抱かざるを得ないのです。もし私の直観が正しいとすれば、このことは米国と緊密な同盟関係にある日本にはとくに重大な意味をもつはずです。

## 中国の急速な少子化

米中の対立が今後も長く続き、世界の二極化が進むだろう、という点で、多くの識者と私も同じ見解です。その上で、まず人口学者として断言できるのは、中国が米国を凌《しの》ぐ大国となり、世界の覇権を握るようなことはあり得ない、ということです。

一〇年に一度の中国の国勢調査が今年（二〇二一年）五月に公表されました。一カ月ほど公表が遅れ、データを改竄《かいざん》するためではないか、と疑われましたが、発表された二〇二〇年の合計特殊出生率は一・三人という衝撃的な数値でした。いつからこんなに低い出生率だったのか、しっかり検証する必要があります。

女性一人あたりの出生率は二・〇人に近い水準でなければ、その社会は現状の人口規模を維持できず、数十年後に多大な影響を被ります。一・三人ということは、少子高齢化が急速に進むことを意味し、中国の人口規模からして人口減少を他国からの移民で補うことも原理的に不可能です。

さらに懸念されるのは、出生児の男女比です。一〇六人（男子）対一〇〇人（女子）が通常値であるのに、今日の中国では、一一八人（男子）対一〇〇人（女子）という異常値を示しています。出生前の性別判断が技術的に可能になり、女子の選択的堕胎が行なわれているからで、必ず将来の人口構成に大きな歪《ゆが》みをもたらします。

こうした点から、中国の将来を楽観視する人口学者など一人もいないのです。

しかし、さらなる問題は、こうした統計すら、どこまで信頼できるか分からないことです。中国当局発表の統計データは、その信憑性が常に疑われているからです。

「経済統計は嘘をつくが、人口統計は嘘をつかない」が、人口学者としての私の研究の出発点です。一九七六年に「今後、一〇年、二〇年、もしくは三〇年以内にソ連は崩壊する」と断じたのも、二〇一六年にトランプ当選の可能性を強調したのも、それぞれ「人口統計」（ソ連崩壊は乳幼児死亡率の上昇、トランプ当選は中年白人人口の死亡率の上昇）に基づく判断でした。人口統計は、日々のニュースが伝える政治の動きや経済統計以上に、社会の根底にある動きを捉えているからです。しかし、その人口統計自体が信頼できないというのは、研究者として初めて直面する事態です。

## 冷戦後に不安定化した米国

他方、米国も人口動態上の脆弱さを抱えています。トランプ政権によってなされた「自由貿易から保護貿易への転換」「中国との経済上のデカップリング」は、政策としては概《おおむ》ねバイデン政権にも引き継がれています。しかし「国内産業基盤の再生」をなそうにも、本当に実現できるかは、また別の話です。一定数の移民を受け入れ、健全な出生率を保っている米国は「人口減少」と無縁ですが、中間層の「教育水準」が低いままでは、「国内産業」の担い手とはなれません。急速に発展を遂げた一九〇〇年頃の米国の産業は、科学技術の向上だけでなく、労働者のプロテスタント的勤勉精神と高い教育水準に支えられていました。ところが、現在の米国には、そうした中間層が国内に見当たらないのです。

この欠落を移民大国である米国は、教育水準の高いアジア系移民によって補ってきました。人口が三億人を超え、今後も増える見込みの米国にとって、そのニーズはこれまで以上に高まっていくはずです。ところが、アジア諸国の大部分は出生率が低く、これまでのようにはアジア系移民を当てにできなくなるのです。

これは最近になってほぼ確信に至ったことですが、一九九一年にソ連が崩壊し、米国が冷戦での勝利を手にした時点で、米国社会はすでに内部崩壊の種を胚胎していました。そして今や、ロシア社会がソ連崩壊後の大混乱から回復して安定に向かう一方で――欧米の主流派メディアはこの点を捉え損ねています――、米国社会は不安定化しています。

私がソ連崩壊を〝予言〟した際に依拠した人口一〇〇〇人あたりの乳幼児死亡率は、現在、米国の方がロシアより高くなっています（米国五・六人／ロシア四・九人）。一〇万人あたりの自殺率も米国の方が高い（米国一四・五人／ロシアはおそらく一一・五人）。一〇万人あたりの刑務所収監率に至っては六五五人という異常値です（ロシア三二八人）。要するに、冷戦の敗者（ロシア）が安定化し、勝者（米国）が不安定化しているのです。

東西冷戦に対する認識を改める必要があります。敵対関係はむしろ「有益」な効果をもっていたのです。共産主義との競合のなかで、西洋諸国は、完全雇用をめざすケインズ政策を実施し、社会福祉を充実させ、リベラリズムを野放しにしませんでした。逆説的にも、米国は、ソ連と競合した時期に、歴史上、最も良い時代を謳歌していたのです。

また共産主義との競合は、米国での黒人解放を促しましたが、その一方で白人間の平等意識を破壊し、新自由主義への道を開きました。黒人の解放――本書で詳述しているように「黒人差別は米国民主主義の原点」です――は、共産主義の圧力なしにはあり得なかったのです。その意味で、「米国の行き過ぎた不平等的個人主義」の生みの親は、実は「ソ連（ロシア）の平等主義」だったと言えます。

## 「米国の介入による混乱」が中東から東アジアへ？

中国が「権威主義的政治体制」で、出生児の男女比が示すように「女性差別社会」であるのは、「外婚制共同体家族」（兄弟間は平等で親子関係は権威主義的）という家族構造に起因しています。家族構造の専門家として私は、中国がそのような社会であることを「理解」できます。つまり、それなりの歴史的な理由があるのです。しかし個人的には、「自由」や「民主主義」という価値観を共有する「西洋社会」――広い意味で私はここに日本も含めます――の一員として、中国の権威主義体制にはとても共感できません。

だが、他方で米国もどこまで信用できるのか。ここ最近の動きを見ていると、「世界の安定に寄与する米軍のプレゼンス」というものに疑念を抱かざるを得ません。

先のアフガニスタンからの米軍撤退は、ベトナム戦争でのサイゴン陥落を思い起こさせるもので、米国の安全保障と外交戦略を担うエリートの知的衰退を象徴する光景でした。

アフガニスタンだけではありません。イラク、イラン、シリア、ウクライナ、ジョージア（グルジア）など、いずれも「米国による介入」は、単に事態を悪化させただけで、米国の戦略はことごとく失敗しています。現在、米国は戦略の軸足を中東から東アジアに移していますが、今後の東アジアが〝中東の二の舞〟になる怖れがあります。米国が積極的に関与することで、「安定」や「秩序」ではなく、かえって「混乱」が東アジアにもたらされる、ということが考えられるわけです。

私には、一部の賢明なリアリストを除いて、米国の外交や地政学の担い手が「理性」を失っているように見えます。例えば、米国が多用しているドローンによる攻撃は、「理性的」と目されていたオバマ大統領によって承認されたものですが、テロリスト同然の手法で、倫理的にも許されるものではありません。「世界の安定に寄与する米軍の有用性」に疑問符を付けざるを得ないのです。

## 同盟国として信用できるのか？

二〇二一年九月一五日に、米英豪による新たな安全保障協力の枠組み「AUKUS（オーカス）」の創設と同時にオーストラリアに対する原子力潜水艦の技術供与が発表されたことにも驚かされました。その結果、オーストラリアは、フランスとのディーゼル潜水艦開発の契約を破棄したわけですが、私が驚いたのは、オーストラリアが米国の潜水艦を選んだことではありません。同盟国フランスに対する米国の無礼な態度に対してです。これはアフガニスタンでの不名誉な撤退の直後に起きた出来事で、行き場のない苛立ちを他でやり返す幼稚な振る舞いのようにも感じました。

オーカスのメンバーである米英豪は、いずれもアングロサクソンの国で、同盟関係を築くのは自然の流れと言えるでしょう。しかし、逆に言えば、あまりに同質的なエスニック（民族的）集団で、フランスを排除する姿勢にその閉鎖性が現れています。地理的には遠くとも、「自由」や「民主主義」の価値を共有する欧州の同盟国も巻き込んで「対中包囲網」を築こうとする上では、マイナスでしかありません。

フランスからすれば、経済上の問題はあっても、中国に対して軍事的脅威はそれほど感じていない。そこへ、これだけ排他的な態度を取られれば、「我々には関係ない」とならざるを得ません。さらにはインド太平洋地域の問題としてだけでなく、欧州や自国の安全保障問題においても、同盟国として米国を信頼できなければ、同盟関係を強化するよりも、核兵器を含めた自前の防衛力の整備に意を注がざるを得ません。

同盟国に自国兵器を強引に売り込み、「軍需産業の利害」によって「戦略的リアリズム」を歪めている点にも、同盟国に対する不誠実さを感じます。日本を始め各国が購入している戦闘機Ｆ35の実戦での性能を私は疑っています。米国の空母にしても、すでに古びたものになっているかもしれません。

## 軍事優先の危うさ

要するに、米国の軍事的実力は見かけほどではないのです。その証拠に、ロシアは米国を軍事的に恐れていません。問題は、にもかかわらず、自惚《うぬぼ》れた米国が自分の実力を見誤り、各地で分別を欠いた挑発を行なっていることです。その結果が、イラク、イラン、シリア、ウクライナ、グルジア、そしてアフガニスタンでの失敗であり、「米国の介入による混乱」が、今度は東アジアにもたらされつつあります。米国本土から遠く離れ、中国大陸の目と鼻の先にある台湾をめぐって軍事的挑発を繰り返していますが、米国が多大な犠牲を払ってまで台湾を守りきることはないでしょう。米国が他国にそこまでした例はないからです。もしそうであれば、不必要に緊張を高めるのではなく、軍事的な牽制は抑制的であるべきです。

中国が周辺諸国にとって軍事的脅威になっているとしても、世界戦略上、「中国問題」は何よりも「経済的勢力としての問題」であり、「軍事的勢力としての問題」はあくまで二義的です。中国の近隣諸国に与える影響力と衛星国化の手段も、現状では軍事的なそれよりも経済的なものだからです。

こういう状況で、米国が経済よりも軍事を優先するのは賢明ではありません。中東に「民主化」をもたらすとして結局は「混乱」しかもたらさなかった「米国のリベラル的軍事介入主義」は、世界にとってリスク要因です。米国兵器購入の強要は、それが同盟国に対しても向けられていることを意味します。『帝国以後』では米国の振る舞いを「演劇的軍事行動」と断じましたが、「世界の警察官」であり続けるためだけに各地の緊張を高めることとすら考えられます。しかし、米国自身の問題もまた、「軍事的」なそれよりも「経済的」なものである以上、米国は「戦争」をするのではなく、もっと「働く」べきなのです。

## 日本の核武装

日本の安全保障にとって米国との同盟が重要であることは言うまでもありません。しかし、同盟国として米国をどこまで信頼できるのか。少なくとも、従順に従うだけでは、かえって必要のない軍事的緊張に巻き込まれる可能性があることを日本も真剣に考えるべきではないでしょうか。

ここで私が提案したいのが、日本の核武装です。あまりに非現実的だと思われるかもしれませんが、米国の行動に「危うさ」や「不確かさ」があるとすれば、その必要性は、かつて私がそう提案した時以上に高まっています。

核兵器は、軍事的駆け引きから抜け出すための手段であって、核の保有は、私の母国フランスもそうであるように、攻撃的なナショナリズムの表明でも、パワーゲームのなかでの力の誇示でもありません。むしろパワーゲームの埒外に自らを置くことを可能にするのが核兵器です。核とは「戦争の終わり」で「戦争を不可能にするもの」なのです。

このように言うと、日本の皆さんは「日本は米国の核の傘に守られている」と思われるかもしれません。しかし、本当にそう言えるのでしょうか。

おそらく日本の皆さんが安全保障上、最も頼りにしている「米国の核の傘」も、実は幻想にすぎません。詳しくは本書を読んでいただきたいのですが、一言で言えば、使用する場合のリスクが極大である核兵器は、原理的に自国防衛以外には使えないからです。

## 「直系家族病」としての少子化

しかし、日本には、それ以上に、自国の存亡に直結する問題があります。「人口減少」と「少子化」です。国家が思い切って積極的な少子化対策を打つこと、「日本人になりたい外国人」を移民として受け入れることこそ、安全保障政策以上の最優先課題なのです。

今回の新型コロナウイルスのパンデミックは、世界各国の現状を浮き彫りにはしましたが、大きな歴史の流れに何か新しい変化を加えたわけではない、と私は見ています。世界各国の「死者数」は膨大ですが、その大部分は高齢者です。現役世代の死者はわずかで、コロナ以前に想定されていた高齢者の寿命を縮めたにすぎず、人口動態全体に与えるインパクトは大きくありません。むしろ「出生数の減少」と「自粛生活が全世代の平均寿命にもたらす悪影響」の方が今後、明らかになってくるでしょう。要するに、「高齢者」の「健康」を守るために、「若者」と「現役世代」の「生活」に犠牲を強いたわけで、その傾向は、例えば「老人支配」の度合いの弱い英米よりも、日本のような「老人支配」の度合いの強い国ほど顕著です。日本は「コロナによる死亡率」を最小限に抑えましたが、社会が存続する上で「高齢者の死亡率」よりも重要なのは「出生率」であることを忘れてはいけません。

「絶対核家族（親の遺言で相続者を指名）」の英米や「平等主義核家族（平等に分割相続）」のフランスよりも、日本で老人が敬われるのは、「直系家族（長子相続）」という日本の家族構造が関係しています。「家族」を重視することで、日本の優れた社会の基礎が築かれてきたわけですが、例えば、子育てのすべてを「家族」で賄うことなど、もはやできません。老人介護も同様です。「家族」の過剰な重視が「家族」を殺す――「家族」にすべてを負担させようとすると、現在の日本の「非婚化」や「少子化」が示しているように、かえって「家族」を消滅させてしまうのです。「家族」を救うためにも、公的扶助によって「家族」の負担を軽減する必要があります。

日本の「少子化」は「直系家族の病」と言えます。日本の強みは、「直系家族」が重視する「世代間継承」「技術・資本の蓄積」「教育水準の高さ」「勤勉さ」「社会的規律」にありますが、そうした〝完璧さ〟は、日本の長所であるとともに短所に反転することがあり、今の日本はまさにそうした状況にあるのではないでしょうか。

移民を受け入れない日本人は「排外的」だと言われますが、私が見るところ、そうではなく、仲間同士で摩擦を起こさずに暮らすのが快適で、そうした〝完璧な〟状況を壊したくないだけなのでしょう。しかし出生率を上げると同時に移民を受け入れるには、〝不完全さ〟や〝無秩序〟をある程度、受け入れる必要があります。子供を持つこと、移民を受け入れることは、ある程度の〝不完全さ〟や〝無秩序〟を受け入れることだからです。

　磯田道史氏との対談でも述べたように、礼儀正しく規律を重んじる日本人にも「自然人」とも言うべき奔放な面があるように感じます。一〇回以上の訪日を通じて、上下関係が厳しいはずの会社の上司と部下が酒の席では和《なご》やかに話しているのを何度も目にしましたが、私は秘かに「日本の五時からの民主主義」と名づけています（笑）。ユーモアセンスと同様に、同じ直系家族のドイツには見当たらないものです。日本人がもっと自信をもって「自然人」として振る舞うことが、日本の危機を打開する突破口となるのではないでしょうか。

二〇二一年一〇月四日

**エマニュエル・トッド**

**（通訳＝大野舞）**

# 老人支配国家　日本の危機◎目次

## 6　それでも私はトランプ再選を望んでいた　127

# I　老人支配と日本の危機

# 1　コロナで犠牲になったのは誰か

「老人」の健康を守るために「現役世代」の活動を犠牲にした「シルバー民主主義」

原題　犠牲になるのは若者か、老人か
初出　『文藝春秋』二〇二〇年七月号

## 「GDP」では「現実」は見えてこない

この度の新型コロナのパンデミックは、何を示唆《しさ》しているのでしょうか。私は、歴史家、歴史人口学者として「グローバリズムに対する最後の審判」だと捉えます。

ただ、新しい何かが起きたのではなく、このパンデミックが、すでに起きていたことを露見させ、その変化を加速させている、と見るべきでしょう。

まずパンデミックが露《あら》わにしたのは、社会の「豊かさ」や「富」を示すはずのGDPなどの「経済統計」がいかに「現実」から乖離《かいり》しているかです。

現代は「GDP至上主義」の時代。しかし、「付加価値の合計」であるGDPは、比較的最近、使われるようになった指標です。第二次大戦後の経済復興の中で、他国が米国にキャッチアップしていく過程で頻繁に用いられるようになりました。

もちろん、戦後のある時期までは、GDPも、「現実を測る指標」としての意味がありました。ところが、産業構造が変容し、モノよりもサービスの割合が高まるなかで、次第に「現実を測る指標」としてのリアリティを失っていったのです。

モノであれば、鉄の量にしろ、自動車の台数にしろ、水増しする余地は少なく、社会に存在する生産力（＝現実）をより忠実に反映します。ところが、サービス分野では「現実」から乖離した過大評価が往々にしてなされてしまうのです。この点は、おそらく日本の読者には、容易に理解してもらえると思います。

例えば、米国ではとにかく裁判が多い。企業活動でも法的手続きが多い。そこで弁護士が手にする膨大な報酬もＧＤＰに含まれます。それに対し、正直な方が多い日本（笑）では、訴訟も弁護士も少ない。その分、日本のＧＤＰは米国より少なく計上されることになります。しかし、一体、どちらの社会が「生産的」と言えるのか。ＧＤＰには、こうした倒錯した面があるのです。今回のコロナ禍は「ＧＤＰ絶対視」から脱却するまたとない機会です。

## グローバリズムでマスクもない

この点、フランスは、興味深い典型例を示しています。グローバリズムのゲームのルールを忠実に実行してきた国として、フランスのエリートたちは、工業で稼ぐのも、観光業で稼ぐのも、その良し悪しを問うことなく、同じようにＧＤＰに換算できるという態度を三〇～四〇年にもわたって取ってきました。その結果どうなったか。

今回の新型コロナではっきりしたのは、モノの生産に関しては、フランスはもはや〝先進国〟ではなく〝途上国〟だということです。フランス人は、人工呼吸器もマスクも医薬品もつくれない自国の現実を突きつけられました。それらは、中国やインドで製造され、国内にはもはや技術や生産基盤がない。国内最後のマスク工場は、二年前に閉鎖されていたのです。

## 「死」は嘘をつかない

「経済統計」は嘘をつきますが、「人口統計」は嘘をつきません。作家エマニュエル・ベルルが述べたように、「死は嘘をつかない」。「人口統計」の操作は困難だからです。

一九七六年に『最後の転落――ソ連崩壊のシナリオ』（藤原書店）を書いて、「今後、一〇年、二〇年、もしくは三〇年以内にソ連は崩壊する」と私が論じたのも、ソ連の乳幼児死亡率の統計を見たからです。それまで低下し続けていた乳幼児死亡率が、七一年から七四年まで上昇し続け、七五年以降は公表されなくなり、〝何かある〟と気づきました。

今回の新型コロナで注目すべきなのも、各国の死亡率に大きな違いがあることです。

もちろん、気候の影響などさまざまな要因があるので、その点も考慮すべきですが、少なくとも現時点では、全体としてウイルスの毒性はそれほど高くない。ですから、それぞれの死亡率は、「ウイルスの属性」よりも「各国の現実」について多くを物語っている、と捉えるべきです。

このウイルスは、まず「世界の工場」たる中国で〝製造〟され、グローバル化を担うエリートたちによって各地に運ばれ、イタリア北部、ドイツ南部、フランス東部、ベルギー、ロンドンといったグローバル化の先進地域を襲い、最後に、その中心地たるニューヨークに到達しました。

人口一〇〇万人あたりの死者数（二〇二〇年五月一五日時点）は、ベルギー「七七・四」、スペイン「五八・〇」、イタリア「五一・五」、英国「五〇・〇」、フランス「四〇・四」、米国「二五・七」であるのに対し、ドイツはわずか「九・五」です。日本や韓国はさらに低く、いずれも「〇・五」程度です。

## グローバル化の深度と死亡率

「個人主義的」で「女性の地位が高い」国（私の専門の家族構造で見れば、英米のような「絶対核家族」や仏のような「平等主義核家族」）で、死亡率が高く、「権威主義的」で「女性の地位が低い」国（日独韓のような「直系家族」）で、死亡率が低くなっています。これには、グローバル化の度合が大きく関わっていると考えられます。

　死亡率の低い後者のグループでは、グローバル化の下でも、暗黙の「保護主義的傾向」が作用し、産業空洞化に一定の歯止めがかかって、国内の生産基盤と医療資源がある程度、維持されました。そのために、被害の拡大を防げたのです。

　他方、死亡率の高い前者のグループでは、ＧＤＰばかりにこだわり、生活に必要不可欠な生産基盤すら手放して産業空洞化が起こり、いざという時に、自分たちの生活すら守れなかったのです。

　この意味で、新型コロナは「グローバリズムの知的な敗北」を宣告した、と言えるでしょう。

　フランス国内にも、同じような地域差が見られます。

『二一世紀の階級闘争』（文藝春秋より近刊）で示したことですが、現在、フランスは、（ベルギーやドイツに近い）北東部を始めとする「グローバル化の嵐の中のフランス」と南西部を始めとする「シェルターで保護されたフランス」に大きく二分され、産業空洞化、移民問題、要するに「グローバル化による危機」は、前者でより深刻化しています。今回の新型コロナの死亡率にも、まったく同じ傾向が見られるのです。

新型コロナが露わにした「グローバル化の不都合な真実」は、仏独の死亡率の違い（「四〇・四」と「九・五」）に鮮明に現れています。

欧州では、ＥＵとユーロ創設という形で「グローバリズム」が貫徹されました。とくにユーロがフランスの国内産業を破壊したのです。対照的にドイツは「単独通貨マルクよりもはるかに安いユーロ」によって、ＥＵ域内貿易でも、ＥＵ域外貿易でも恩恵を受け、巨額の貿易黒字を積み上げました。

独フライブルクにある親ＥＵの欧州政治センターの研究でも、一九九九年のユーロ導入以来、フランスは、ＧＤＰ換算で三兆五九一〇億ユーロ（約四二〇兆円）の損失を被り、ドイツは、一兆八九三〇億ユーロ（約二二〇兆円）の利益を得た、と推計されています。

ユーロは、主にフランスの政治家たちが中心となって考案したものですが、「フランスの政治家が犯した史上最悪の失敗」と言って過言ではありません。

私はマクロン大統領に極めて批判的ですが、今日のフランスの惨状は、ミッテラン、シラク、サルコジ、オランドといった歴代政権の政策の帰結です。したがって、若者よりもグローバル化の恩恵を受け、彼らを大統領に選んできた私を含む高齢者の世代に重い責任があります。

## 嘘をつくしかない無力な政府

こうして自国産業が壊滅し、ウイルスの防御手段が何も残されていないフランスには、「ロックダウン（都市封鎖）」しか選択肢がありませんでした。その結果、貧困層は都市の狭い住居に閉じ籠もるほかなく、ブルジョワは田舎の別荘に逃げていきました。一七世紀にペストが流行した時とまったく同じ光景が繰り返されたのです。

新型コロナは、高齢者の死亡率が高く、明日（二〇二〇年五月一六日）六九歳となる私自身も〝高リスク〟ではあるので、妻と娘を連れてブルターニュの小さな別荘に〝避難〟しました。移動禁止令でパリが封鎖されるわずか三〇分前のことです。

こうして約二カ月もの「自宅隔離生活」を強いられたフランス人が、見たくもないのに自宅のテレビで連日、見せられたのは、マクロン大統領、フィリップ首相、ベラン保健相といった政治家や官僚たちの虚偽ばかりの発表や会見です。

例えば、「必要なマスクが国内になかった」というのが真実なのに、当初は、「効果がないからマスク着用は無意味だ」と言っていました。その後は、「マスクを製造する」と。

しかし、そもそも国内の生産基盤がすでに失われているので、そのうち「中国に注文する」と言い始めた。

ＴＧＶを患者搬送用に「走る病院」に改装したことも大きく報じられました。これは、仏東部で医療施設が逼迫《ひっぱく》したためとされましたが、まったく無意味な所業です。その地域に医療器具と医者こそ運ぶべきなのに、重篤患者になぜ過酷な移動を強いるのか、と知人の医者は憤《いきどお》っていました。ウイルスに対して無力な政府が〝やってる感〟を演出しただけです。

また、政府発表の死者数にも虚偽がありました。当初、介護施設での死者はカウントされず、その後、少しずつ加えるという姑息な手が用いられたのです。高齢者を怖がらせるのを防ぐためだったと思われます。

## 若者と現役世代のリスクを誇張

一番の嘘つきは、保健当局トップのジェローム・サロモン。我が家では「ピノキオ」と呼んでいました。

最大の嘘は、新型コロナは、少なくとも現時点では、高齢者や持病のある人でなければ、リスクは小さいのに、「集中治療室の入院患者の平均年齢が下がってきている」というニュースを流し、「若者」や「現役世代」のリスクを誇張し、「外出禁止命令」を守らせようとしたことです。

　こうして連日、我々フランス人は、政府の虚偽発表に付き合わされたのですが、まさにジョージ・オーウェルの『一九八四』の世界。一日に一時間の外出しか許されない〝全体主義〟の状況下で〝自由・平等・博愛〟を虚しく謳《うた》う政府広報が、テレビで毎日、流されたのです。

　ここで見落としてならないのは、「世代間の問題」です。

　グローバリズムの恩恵を最も受けてきたのは、現在の高齢者、戦後のベビーブーマーの世代で、最も犠牲を強いられたのは、「先進国の若い世代」です。あくまで冗談めいた比喩ですが、死者が高齢者に集中しているのは、あたかも「グローバル化のなかで優遇されてきた高齢者を裁くために、神がウイルスを送り込んだ」と見えなくもありません。

　ただその一方で、高齢者たちが、依然、力関係で優位にあることも示されました。全人口にロックダウンを強制して、低リスクの「若者」と「現役世代」に犠牲を強いることで、高リスクの「高齢者」の命を守ったからです。もちろん、「老人を敬う」のは、健全な社会の証なのですが。

今回、フランス人が体験したのは、「国家の崩壊」です。行政を担う「知的指導層」と言われる人々が、いかに知的に崩壊しているかを曝《さら》けだしました。

二〇二〇年四月三〇日、保健相がフランス全土を「赤色（警戒）地域」と「緑色（安全）地域」にゾーン分けをしたことを発表しました。ところが、感染者の少ないロット県、オート＝コルス県（コルシカ島北部）、シェール県が「赤色」に色付けられていたのです。驚くべきは、ロット県が〝飛び地〟のようになっていたこと。感染の拡がりは〝地続き〟でないとおかしいと、誰でも一目で分かります。政府は翌日すぐに訂正しました。唖然《あぜん》とするしかない無能ぶりです。

政府とは対照的に、マスクや呼吸器など十分な医療資源がないなかで、フランス国民は〝規律〟を示しました。三分の二の国民が「政府を信用しない」なかで、「外出禁止令」を遵守し、医師、看護師、介護従事者、スーパー店員、トラック運転手といったエッセンシャル・ワーカーは、困難な状況に耐えて踏ん張りました。

当てにならない政府の下でも、自発的に、自律的に規律正しく行動できたのは、GDPでは測れない〝文化的な力〟〝社会に内在する潜在力〟のおかげです。英国人が〝フランス人の自己制御力〟を褒めるなど、普段はあり得ないのに、「エレガントだったフランス人の振る舞い」といった記事が英『ガーディアン』紙に載っていました。さまざまな〝現実〟を露わにした新型コロナですが、こうしたフランス社会のプラス面も明らかにしたのです。

## 米国を見くびってはいけない

現在、「流行の中心となった米国が酷い状況になっている」と仏メディアは盛んに報じています。政府の無策と無秩序な社会が事態の悪化に拍車をかけている、と。

しかし、死者の絶対数は多くとも、一〇〇万人あたりの死者数は「二五・七」で、フランスよりはるかに少ないのです。さらに注目すべきは、「州ごとの死亡率」です。

高い順に挙げると（二〇二〇年五月一八日時点、独スタティスタ調べ）、ニューヨーク州「一四五」、ニュージャージー州「一一七」、コネチカット州「九六」、マサチューセッツ州「八四」ですが、これが「米国の現実」のすべてではありません。テキサス州「五」、カリフォルニア州「八」、そして高齢者の多いフロリダ州でも「九」と、ドイツ並みか、それよりも低い州もあります。

地理的に欧州に近い北東部は、欧州と同様に死亡率も高くなっています。気候条件なども影響しているでしょうが、米国を全体として見れば、「酷い状況」とは言えないのです。

これは何を意味しているか。米国は、「個人主義的」ですが、決して〝アナーキー〟ではなく、社会に一定の〝規律〟が働いている、ということです。米国で車の運転経験がある人なら分かるはずです。米国のドライバーは、ルールをきちんと守る。コロナ禍でも、「個人の自由」を守りながら、混乱に陥っているわけではない。米国を見くびってはいけません。ここに、GDPが示すのとは異なる米国の〝文化的な豊かさ〟〝社会に内在する潜在力〟があります。

この点は、各国がそれぞれの感染症対策を考える上でも重要です。というのも、コロナ禍では、「権威主義」「全体主義」「独裁主義」の体制が成功し、なかでも中国式の〝監視〟〝管理〟こそ感染症対策として最も有効だという議論ばかりが支配的だからです。

また、今回のようなロックダウン、自宅隔離、リモートワークは、米国発祥のインターネットがあって初めて可能となりました。その点でも、我々はやはり〝米国中心の世界〟にいるわけです。

## 「何が生産的か」という問い

新型コロナが露呈させたのは、GDPの〝空虚さ〟です。高いGDPを誇っても、産業が空洞化した国は、いかに脆《もろ》いかが明らかになりました。

ここで改めて考えるべきは、「（GDPに計上すべき）生産的な労働」と「（GDPで過大評価すべきでない）非生産的な労働」の区別です。

先ほどは分かりやすくするために、「モノ」と「サービス」の対比で説明しましたが、「サービス＝非生産的労働」というわけでは必ずしもありません。今日、多くの人は、医師、看護師、介護従事者、教師の仕事を「非生産的な労働」とは考えないでしょう。独経済学者で「保護貿易論」を唱えたフリードリヒ・リストは、「自由貿易」を信奉する古典派経済学の根本的な誤謬《ごびゅう》をこう揶揄《やゆ》しています。

「すべてを『交換価値』から捉える彼らの見方では、『豚を飼育する人々』は『生産的』であるが、『子供を育てる人々』は、『非生産的』となってしまう」

「交換価値の理論」に対してリストが提示した「生産諸力（＝生産力を生産する諸条件）の理論」によれば、次のようになります。

「『豚を飼育する人々』はもちろん『生産的』だが、『子供を育てる教師』はさらに高度に

『生産的』である。前者は『交換価値』を生産し、後者は『生産諸力』を生産するからだ。国民の繁栄は、『交換価値』の蓄積以上に、『生産諸力』の発展にかかっている」

産業空洞化で新型コロナの被害が大きかった先進国がすぐに取り組むべきは、将来の安全のために、産業基盤を再構築すべく国家主導で投資を行うことです。これは、いま話題の「ベーシックインカム」などより重要です。問題は「生産力」だからです。投資に加えて、国内の医療産業を保護する措置も採るべきでしょう。フランスについて付け加えれば、ユーロから脱却して、国内投資のために独自通貨を取り戻すべきです。

## 社会の活力＝出生力

実は厳密に言えば、「何が生産的か」「何が非生産的か」という問いに、明確な答えはありません。開かれた問いで、「良き社会とは何か」「良き人生とは何か」という、より大きな問いにもつながる哲学的な問いでもあるからです。ただ、今回のコロナ禍は、これまでの「グローバリズム」や「経済」のあり方を「何が真に『生産的』なのか」という形で、改めて問い直すきっかけになるでしょう。

とはいえ、日本の方には、目新しいことではないでしょう。私は一九八三年に「家族」

から社会を読み解く『第三惑星』（『世界の多様性』藤原書店に収録）を刊行した際、フランスでは「保守反動」「人種主義」とぼろくそに非難されました。

ところが、一九九二年の初来日で講演をした後、一人の紳士が近寄ってきて、「トッドさんは長男ですか？　次男ですか？」と尋ねられました。「家族」が個人の行動に大きく作用する、という私のテーゼも、日本では〝当たり前のこと〟というわけです。おそらく〝モノづくり〟の日本では、「生産（力）を重視する」という考えも、ごく自然なことでしょう。

ただ、日本について気になるのは、「出生率の低さ」です。

先ほど、仏独の死亡率の違いを強調しましたが、私は人口学者として「死亡」だけでなく「出生」にも着目します。二〇一九年時点で、日本と同じ「直系家族」で「女性の地位の低い」ドイツは、出生率が低く（女性一人あたり約一・五）、「出生数」が「死亡数」より「約二〇万人」も少なくなっています。他方、出生率が高い（約一・九）フランスは、「出生数」が「死亡数」より「約一四万人」多くなっています。

老人を敬うのは良きモラルだとしても、〝社会としての活力〟すなわち〝生産力〟は、「老人の命を救う力」よりも、「次世代の子供を産み育てる力」にこそ現われます。

新型コロナの被害を最小限に抑えた日本ですが、唯一にして最大の危機は、「少子化」です。私はかつて「日本の核武装」まで提案しましたが、少子化対策は、安全保障政策以上の最優先課題です。大好きな日本に存続してほしいがゆえに、最後に一言述べさせていただきます。

（取材協力＝堀茂樹）

## 2　日本は核を持つべきだ

「米国の核の傘」は実はフィクションにすぎない

原　題　日本は核を持つべきだ
初　出　『文藝春秋』二〇一八年七月号

## 米国に対する楽観と不安

現在、世界は急速に流動化し、不安定化に向かっています。私は意に反してしばしば「予言者」と評されますが、今後の世界がどうなるのか、明確に答えることはできません。米国にしろ、中国にしろ、今後、特定の国が覇権を握ることよりも、世界が無秩序状態に向かっていくことを私は最も危惧します。

私はいま、直近の動きを見て、つい先日まで抱いていた英米圏、とくに米国への楽観と期待を修正する必要に迫られています。米国の方向転換が世界を安定に導くと思っていたが、気がつけば、むしろ米国こそ、我々にとっての一番のリスクと化しているのではないか、と。

とはいえ、私は通常言われる「予測不可能なトランプ」を問題視しているのではありません。以前からのトランプ当選を評価する立場――トランプ個人は性格も髪型もどうかと思いますが（笑）――に変わりはありません。

二〇一六年、メディアや大学教授や評論家の大半が猛烈に批判するなか、私は英国のEU離脱と米国のトランプ当選をむしろ肯定しました。この二つの動きを、グローバリズムと自由貿易によって疲弊した世界を刷新し、世界に再び安定をもたらす勢力の台頭とみたからです。ネオリベラリズムは、当初、英米（サッチャーとレーガン）によって開始されましたが、ネオリベラリズムからの方向転換もまた、英米圏によって主導されるのだ、と。

別の言い方をすれば、英国のＥＵ離脱と米国のトランプ当選は、民主主義の失地回復、ネイションの復活を意味するもので、経済格差による社会の分断を緩和するための一つの解決を英米がもたらすと受けとめたのです。

トランプの保護貿易の主張は、民主党のサンダースの主張とも重なり、一部の左派にも支持されました。英国のブレグジットも、自由貿易に固執するＥＵからの離脱を意味するだけでなく、国内においても民主政治の再活性化を促し、その後の選挙では労働党が勢いを得ました。

しかし、そういう大局的な歴史観にもかかわらず、直近の英米圏、とくに米国の動向に大きな不安を感じます。

英国のＥＵ離脱の大きな要素の一つは、ポーランドからの大量移民に対する反感でした。トランプ支持の背景にもメキシコ移民への反感があります。この点を私は批判したいのではありません。そもそも民主主義は、きれいなイメージだけで説明できるものではなく、

『我々はどこから来て、今どこにいるのか？——人類史素描』（文藝春秋より近刊）のテーマの一つでもあるのですが、民主主義とは、原初においては、一種の外国嫌いや国境の強調を含むものなのです。

移民を主権国家がコントロールできなければ、国境が脆弱になり、結局は、民主主義の成立条件が損なわれます。私は移民に反対ではありません。一定程度の移民の受け入れには、大賛成です。しかし主権国家には、移民の受け入れをコントロールする権利があり、それを手放しては民主主義自体が成立しないのです。

## 「分裂症」の米国

私が不安を覚えるのは、英米社会内部の深刻な分断状況です。

まず英国には、国民投票で決まったブレグジットをいまだ認めず、もう一度国民投票を求めるような勢力が存在します。高級紙『ガーディアン』などのエスタブリッシュメントのメディアやアカデミア（大学）です。ただ、保守党、労働党ともに、政界は投票結果を認めています。ですから、英国国内の分断は、さほど深刻ではない。そもそも英国では、大学アカデミズムはさほど社会的権力を持っていませんから（笑）。

国内の分断が深刻なのは、米国の方です。共和党と民主党で政界が二分されていて、それぞれが「二つの米国」を代表しています。共和党が主に高等教育を受けていない白人を代表し、民主党が主に高学歴の白人とマイノリティであるヒスパニックと黒人を代表し、国内が完全に二極化されているのです。

『ニューヨークタイムズ』や『ワシントンポスト』を読むエスタブリッシュメントや、シリコンバレーの高学歴富裕層は、いまだトランプの当選を認めていません。その結果、現在の米国には、「トランプ大統領を中心とする勢力」と「トランプを認めない高学歴エリートの勢力」の二つの権力が存在しています。米国は、いわば「二つの脳」を持っているも同然で、一種の「分裂症」に陥っているのです。

問題はここからです。大統領就任以来、米国のエスタブリッシュメントがトランプを大統領として認めたのは、二〇一七年のシリアへのミサイル攻撃のような軍事行動など、外交で強硬姿勢に出た時なのです。その顕著な例が二〇一八年五月八日に表明された米国によるイラン核合意破棄です。

イラン核合意とは、オバマ政権時代の二〇一五年七月に、ウラン濃縮などの核開発活動を制限するために、米英仏独中露およびＥＵとイランとの間で結ばれたもので、その見返りに米欧などは金融制裁やイラン産原油の取引制限などを解除しました。この合意をイランは順守し、その後、欧州との経済協力も深まっていたのですが――その意味で合意破棄は欧州の経済的利害を直接損なうもので欧州と米国の離反のきっかけになり得ます――、米国は、一方的にこの合意から離脱し、「最高レベルの経済制裁を科す」ことを表明したのです。

これは、世界にとって最悪の選択で、狂った行動と言えますが、私には一種の「啓示」の役割も果たしました。これによって事の本質が見えてきたのです。

## 「イラン核合意破棄」から見えるもの

国内の反トランプ勢力も、イラン核合意の破棄を支持しています。つまり、対外強硬姿勢において、「二つの米国」が一つになっているのです。これは、トランプ個人の問題ではなく、今日の米国のシステムとしての問題です。ですから、この合意の破棄は、「トランプの選択」というより「分裂した米国の病的選択」と捉えなければいけません。この意味において、イラン核合意破棄は、私にとって一つの啓示だったのです。

大統領選で敗北しましたが、ヒラリー・クリントンが代表していたのは、「帝国としての米国」「グローバリズムの米国」「自由貿易の米国」でした。トランプの方は、「孤立主義の米国」「アメリカ・ファースト」「保護貿易の米国」でした。二人の主張は、激しく対立していますが、いわば同じアメリカ・ナショナリズムの二つのヴァージョンと考えることもできます。

この二つのヴァージョンは、言い換えれば、エリート主義（エスタブリッシュメント）とポピュリズム（トランプ支持層）で、国内では融合できなくとも、外に向かって攻撃的に出ていく際には融合できる。これは、「前方へ向かっての逃亡」というか、前へ走ることによって眼前の問題を解消するような振る舞いで、恣意《しい》的で冒険的な外交政策が、「二つの米国」という分裂を解消するソリューションになってしまっているのです。これによって内部対立を緩和できる米国はいいかもしれませんが、同盟国や世界にとっては災厄でしかありません。

内部対立の外部転嫁という問題は軽く見てはいけません。歴史を振り返れば、二〇世紀初頭の欧州では各国内に資本主義勢力と社会主義勢力の激しい対立が存在し、この内部対立はナショナリズムの勃興によって解消されました。それが第一次世界大戦につながったのです。

外交面で米国の病的なナショナリズムが発現しているのは、実は、世界各地で米国がかつての影響力を失い、客観的には敗北を続けているからでもあります。

まず欧州においては、ドイツに覇権パワーを奪われています。戦後のドイツは、米国に従順でしたが、経済政策の方針において、米国が世界の需要拡大への貢献を求めても、ドイツはもはや聞く耳を持っていません。中東でも、米国の影響力の衰退は明らかです。息子ブッシュが始めた中東での戦争に米国はすでに敗北したと言えるでしょう。シリア情勢を軍事的にコントロールしているのはロシアで、これに加えてイランの支援も得たアサド政権側が勝利しています。アジアでも、米国は、南シナ海での中国の動きを止められず、すでにこの海域では中国が覇権をほぼ確立しました。

こうした世界各地での衰退のせいで、米国はかえって硬直化し、攻撃的な意味でのナショナリズムの発作を起こしているのです。この点に関して、米国の歴史家マイケル・リンドは、私との会話で「現在の米国の姿は、植民地を喪失する前夜の英国やフランスを彷彿《ほうふつ》とさせる」と述べていました。今の米国は、かつての覇権国の地位から、いかに効果的に、いかにエレガントに撤退するかが問われているのに虚勢を張ってしまっているのです。

## 茶番劇だった米朝交渉

こうした米国のあり方が原因となって、世界各地で不確実性が増しています。東アジア情勢も同様です。

当初、南北首脳会談に加えて、米朝首脳会談の開催が発表された際、「グッドニュースだ！」と思いました。というのも、強制収容所、飢饉、幹部と市民の粛清、核実験、弾道ミサイル実験のことばかりが報じられ、「狂気の沙汰」にしか見えなかった北朝鮮という国家について、友人でもある『ル・モンド』紙東京特派員のフィリップ・ポンスの大著『北朝鮮――変動するゲリラ国家』（未邦訳）を通じて多くを学んでいたからです。私はこの本によって、北朝鮮がどんな国であるかを初めて理解しました。

ポンス氏は幾度も北朝鮮を訪問していますが、この本は、建国以来の現代史を詳細に描いています。とくに朝鮮戦争を描いた箇所が印象的で、北朝鮮の町という町が、あの東京大空襲のように、米軍の容赦ない攻撃によって壊滅したことを知りました。北朝鮮が核ミサイル開発にこだわる原点も、そこにあるのです。核ミサイル開発は、彼らにとっては、米軍に再び攻撃されないために必要な、いたって合理的な手段なのです。その点を踏まえた上で、北朝鮮が非核化に踏み出し、その見返りに、米国が北朝鮮の体制を保証する方向で米朝が交渉するというのは、非常にいいニュースだと考えました。

しかしそれも、米国のイラン核合意破棄のニュースが流れるまでのことでした。

まず、「イランには攻撃的な態度に出る一方で、北朝鮮とは歩み寄って交渉し、そうやって米国はバランスを取っている」という見方は、この問題を分析する際にありがちな誤りです。

米国は、核兵器を持った相手（北朝鮮）とは交渉し、核兵器を諦めた相手（イラン）には攻撃的に出ている。ここから得られる教訓は何か。米国は、核保有国には和平的な態度を取るが、非核保有国には威圧的な態度に出るというわけで、「米国と和平的交渉をしたいならば、核兵器を持った方がいい」というメッセージを全世界に向かって発しているも同然です。米国は、核拡散を奨励する外交を展開しているわけです。

さらにイラン核合意破棄は、意図せずとも、北朝鮮にはこれ以上ないほど直接的なメッセージとなって伝わります。イランは合意を順守していたのに、米国はそれを一方的に破棄した。この様子では、米国の言うことは信用できない、と。二〇一八年五月中旬に北朝鮮が米国への批判を強めると、トランプは「中国の影響だろう」と発言しましたが、事の本質は、米国によるイラン核合意破棄にこそあります。イランの核問題と北朝鮮の核問題は、直接リンクしているのです。六月一二日に首脳会談を開催するとの発表後に、北朝鮮の高官が「改めて考慮せざるを得ない」と最初に発言したのは、五月一六日のことで、五月八日のイラン核合意破棄の直後のことでした。

地政学において重要なのは、相手をバカだと思ってはいけない、ということです。もし北朝鮮の指導者がバカでなければ、イランへの対応を見て、米国を決して信用しないでしょう。トランプは六月一二日の会談中止を表明し、水面下で米朝の駆け引きが続いていますが、実際に行なわれても騙し合いにしかならず、このままでは北朝鮮は決して核兵器を捨てようとはしないはずです。ですから、仮に開催されても、米朝首脳会談は茶番劇にしかならない、と私は明言しておきます。

そうなると、見通せる範囲内での未来において、東アジアには、中国と北朝鮮の二つの核保有国が存在することになります。核を持たない日本は、二つの核保有国に隣接することになるのです。

このように言うと、すぐに「日本は米国の核の傘に守られている」と思われるかもしれませんが、私が問いたいのは、本当にそう言えるのか、ということです。

通常兵器による脅威については、日本は米国に保護されていると言えるでしょう。しかし、核兵器は別次元の存在です。まずその点を理解しなければなりません。

## 米国の「核の傘」は存在しない

私の母国フランスは、核兵器を保有し、抑止論を突き詰めた国ですが、抑止理論では、究極、核は純粋に個別的な自己防衛のためにある、ということになります。つまり、自国を保護する以外には用途がないのです。核は例外的な兵器で、これを使用する場合のリスクは極大です。ゆえに、核を自国防衛以外のために使うことはあり得ません。

たとえば、中国や北朝鮮に米国本土を核攻撃できる能力があるかぎりは、米国が、自国の核を使って日本を護ることは絶対にあり得ない。米国本土を狙う能力を相手が持っている場合には、残念ながらそのようにしかならないのです。フランスも、極大のリスクを伴う核を、例えばドイツのために使うことはあり得ません。要するに、「米国の核の傘」はフィクションにすぎず、実は存在しないのです。

こうなると、日本の核保有という問題を真摯《しんし》に検討する必要が出てくるのではないでしょうか。

かつて私は、『朝日新聞』のインタビューで、日本も核保有を一つのオプションとして検討してもよいのではないか、と提案したことがあります。私は平和を愛好する者であり、フランスではラディカルな左翼と目されている者ですが、核保有によって平和と安全を確保しているフランスの人間として、そして日本の友人として、日本もみずからの安全を確保するために核保有を検討してもいいのではないかと思ったのです。しかも、これは、イラク戦争が続いていた二〇〇六年のことで、米国が理性を欠き、暴走していた頃のことでした。

当時、私の発言は多少反響を呼んだのですが、日本の方々の反応は興味深いものでした。その多くは、おおよそ次のようなものだったと思います。『日本も核を持っていい』などと発言するとは、なかなか感じの良い西洋人だなあ。しかし、現実には日本の核保有などあり得ない！　問題外だ！」と。つまり、私の提案は、一面で共感を持たれながらも、まともな提案とは受け取られなかったのです。そこで私も納得して、こう考えました。中国の脅威に直面する日本にとって、唯一可能な安全保障政策は、米国との同盟関係をロシアとの協調関係で補完することなのだ、と。

ところが今日、米国が再びおかしくなっています。オバマ政権になって、一定の落ち着きを見せていたのが、再び理性を欠いた状態に戻ってしまいました。この事態から見て、米国の狂乱状態は単なるアクシデントや偶然というより構造的なもので、恒常的に続く可能性が高いと思います。つまり、米国は、信頼できる安定勢力ではなくなりつつある、ということです。

さらに、先に述べたように、客観的な力学の上でも、世界の至るところで、米国はかつての影響力を失いつつあります。結局、米国は、南シナ海への中国の進出や北朝鮮の核ミサイル開発を阻止できなかったのです。

## 核の不均衡が不安定化を招く

そこで私は、改めて日本が核兵器を保有することの意味を考えました。日本の核は、東アジア世界に、均衡と安定と平和をもたらすのではないか、と。ヒロシマとナガサキの悲劇は、世界で米国だけが唯一の核保有国であった時に起こりました。核の不均衡は、それ自体、国際関係の不安定化を招くのです。このままいけば、東アジアにおいて、既存の核保有国である中国に加えて、北朝鮮までが核保有国になってしまう。これはあまりにおかしい。こう考えると、もはや日本が核保有を検討しないということはあり得ない、と私は思うのです。

ヒロシマとナガサキが日本の方々にとって何を意味するかについては認識しているつもりです。初訪日した際、真っ先に訪れたのは広島でした。日本において核の問題が非常に特殊でセンシブルだということも承知しています。にもかかわらず私が日本の核保有に言及するのは、不真面目に極論を弄《もてあそ》んでいるだけだと思われるかもしれませんが、決してそうではありません。日本の一部の人々が頭で考えてはいても、声高には言えない、はっきりは言えないことを、外国人の立場、親日家のフランス人の立場から敢えて申し上げてみようとしているのです。

## 核とは戦争を不可能にするもの

重要なのは、核とは何ぞや、核を持つとはどういうことかということです。核の保有は、攻撃的なナショナリズムの表明でも、パワーゲームのなかでの力の誇示でもありません。むしろパワーゲームの埒外に自らを置くことを可能にするのが核兵器です。核とは「戦争の終わり」です。戦争を不可能にするものなのです。

敢えて日本の歴史にリファレンスを求めるとすれば、現代日本の核保有は、かつての大日本帝国の復活も、極右の勝利も、意味しはしません。むしろ日本がある意味で非常に日本らしい生き方をしていた時代、自己充足的に世界から距離をとって平和に存在し得た時代、つまり鎖国時代のあり方に日本を近づけるでしょう。

第二次大戦以降、欧州で大きな戦争が起こっていないのも、核の存在のおかげです。ここ一〇年来、英国、フランス、ドイツ、スウェーデンといった欧州の主要国のエリート層に、反ロシア、ロシア嫌い、ロシア恐怖症が拡がっています。この根拠なき「ロシア恐怖症」は、欧州自身が、今どこにいて、これからどこに向かっているかを見失っている証左にすぎないのですが、あちこちで不必要な緊張をもたらしています。例えば、欧州諸国は、クリミア問題をきっかけにロシアに経済制裁を加えましたが、実はさほど効果がなく、かえってロシアの国内産業を活性化させるだけでした。

いずれにしても、欧州とロシアは非常に敵対的な関係になったのですが、この緊張に歯止めをかけているのが、核の存在です。ウクライナ危機にもかかわらず、ロシアと西欧が全面戦争に至っていないのは、核による恐怖の均衡があるからです。核兵器による相互壊滅の可能性があるがゆえに、戦争になっていないのです。

ロシアは、数年前に、核兵器に関する新ドクトリンを打ち出しました。それは、ロシア国家の存在が軍事的に脅かされる場合には、ロシアを脅かす側、つまり欧州や米国の側が通常兵器を用いていても、それに対抗するために戦術核を使うというものです。これは、西側メディアでは、ロシアの攻撃性や拡張主義の現れと受けとめられましたが、この新ドクトリンによって、欧米との通常兵器の戦争が抑止されていると言えます。

西側の「ロシア恐怖症」の主張とは反対に、ロシアの対外政策は、拡張的ではなく――人口は約一億四〇〇〇万人で、すでに広大すぎる領土の保全だけで手一杯です――、理性的な戦略に基づいています。ウクライナ問題でも、シリア問題でも、安定した軍事力を背景に行動していますが、米国とは対照的に一定の抑制が利いていて、軍事大国ロシアの存在は、今日、世界の均衡に寄与しています。だからこそ、日米同盟を基軸にしつつも、日本は自らの安全保障をロシアとの連携で補完すべきなのです。

## 対露接近は日本の国益に適う

ただ、想像力のないフランス人とは思われたくないので付言しますと、日露戦争という西洋諸国と初めて戦った戦争で、勝利しつつも、日本が経済的にも精神的にも多大な犠牲を払ったことは承知しています。また第二次大戦末期に、中立条約を結んでいたはずのソ連が突如参戦し、北方領土が奪われたことも承知しています。両国は、そうした複雑な歴史を抱えています。しかし、「歴史」や「価値観」や「感情」に囚われすぎると、「地政学的真実」は見えてきません。資源エネルギーの面でも、安全保障の面でも、日露の接近が合理的であるのは明らかです。安倍首相の対露外交は理に適《かな》っています。

日本の地政学的環境を考えた時に皮肉なのは、欧米によるロシア排除が、ロシアを中国との連携に追いやっていることです。ロシアに対する資金協力の見返りに、中国はロシアから高度な軍事テクノロジーの提供を受けています。南シナ海での中国の軍事的拡張も、ロシアの援助があって初めて可能なのです。

## 中国は「砂でできた巨人」

中国については、今後、世界の覇権を握り、一種の「帝国」となるといったことがしばしば言われますが、「幻想の中国」と「現実の中国」を冷静に分ける必要があります。中国を必要以上に大きく見せるのは、中国でビジネスをする欧米の財界人で、中国の未来を過大評価することに経済的利益があるからです。

中国が、今後、「帝国」になることは、政治的にも経済的にもないでしょう。中国の未来は悲観せざるを得ないという点で、人口学者は一致しています。少子化と高齢化が急速に進んでいるからです。

とくに懸念されるのは、出生児の男女比です。一〇六人（男子）対一〇〇人（女子）が通常比率であるのに対し、今日の中国では、一一八人（男子）対一〇〇人（女子）という、将来の人口構成に悪影響を及ぼす異常値を示しています。出生前の性別判断が技術的に可能になり、女子の選択的堕胎が行なわれているのです。元来、中国の伝統的な家族構造は、「女性の地位の低さ」を特徴としていますが、近年の中国社会では、伝統的価値が改めて台頭しているわけです。そんななか、中国からは若いエリート層がどんどん国外へ流出しています。中国経済は確かに成長を遂げましたが、内需が弱く、輸出依存の脆弱な構造になっています。中国は、いわば「砂でできた巨人」にすぎません。

では、そうした中国に日本はどう向き合うべきなのか。

まずイデオロギー面と軍事面においては、毅然とした態度を取るべきです。そのために日本は、必要な軍備を整えればいい。歴史問題をしつこく蒸し返されるのであれば、「第二次大戦はもう終わったのだ」と言えばいい。南京虐殺を毎度持ち出されるなら、死者の数から言えば毛沢東の圧政による方がはるかに多いと返せばいい。日本がキッパリと語れば、中国首脳はかえって聞く耳を持つでしょう。その一方で、経済問題に関しては、協力的な態度を明確にすべきです。中国経済は、日本が援助すべき多くの問題を抱えているからです。

米国と世界が不安定化するなかで、安全保障問題は、核保有の是非も含めて、日本にとって今後、死活問題となるでしょう。

それにしても、最後に申し上げたいことがあります。国家が思い切って積極的な少子化対策を打つこと、出生率を上げるための社会制度を整えることこそ、安全保障政策以上に、日本の存亡に直結する最優先課題だということです。

（通訳・翻訳＝堀茂樹）

# 3

# 「日本人になりたい外国人」は受け入れよ

## 日本に必要なのは「多文化主義」ではなく「同化主義」だ

原　題　「日本人になりたい外国人」は受け入れよ
初　出　『文藝春秋』二〇一九年六月号

## 日本の唯一の課題は人口問題

二〇一九年四月に始まった日本の外国人労働者（私は実質的に「移民」とみなします）受け入れ政策の詳細を把握しているわけではありませんが、外国人の受け入れ拡大は、間違いなく日本にとって望ましい政策でしょう。ただ、今の日本には他に選択肢がない、というのが真実だと思います。

私はかつて、「日本は核を持つべきだ」と提言しました（本書第2章）。今後、安全保障問題は、日本の死活問題となる、その際、核保有の是非も真剣に考えるべきだ、と。そう述べたのは、端的に言えば、使用する場合のリスクが極大である核兵器は自国防衛以外には使えないゆえに、「米国の核の傘」も幻想にすぎない、と考えたからでした。

しかし、私がこう申し上げた時、次のようにも付言しました。「国家が思い切って積極的な少子化対策を打つこと、出生率を上げるための社会制度を整えることこそ、安全保障政策以上に、日本の存亡に直結する最優先課題だ」と。

私は人口学者です。人口問題は、数十年の潜伏期を経て一気に発現してきます。

その観点から言えば、人口減少は日本にとって最大にして唯一の課題です。

三〇年ほど前、初訪日した際、日本ではすでに人口問題が議論されていて、私はその先見性に感心したものでした。当時、ヨーロッパでも少子化は進んでいましたが、とくに問題視されていなかったからです。

ただ後に、あれも「議論のための議論」にすぎなかったのだと感じるようになりました。というのも、訪日の度に意見を求められる一方で、結局、この三〇年間、日本は少子化対策も移民政策も、ほとんど何の手も打ってこなかったからです。

## 〝完璧さ〟は日本の長所であり短所

日本の最高の長所は、日本の唯一の問題にもなりえます。それは〝完璧さ〟に固執しすぎることです。

移民を受け入れない日本人は「排外的」だと言われてきました。日本人自身がそう思い込んでいるところもある。しかし、私が見るところ、そうではありません。日本人は、異質な人間を憎んでいるというより、仲間同士で互いに配慮しながら摩擦を起こさずに暮らすのが快適で、そうした〝完璧な〟状況を壊したくないだけなのでしょう。

しかし出生率を上げると同時に移民を受け入れるには、〝不完全さ〟や〝無秩序〟をある程度、受け入れる必要があります。子供を持つこと、移民を受け入れること、移民の子供を受け入れることは、ある種の〝無秩序〟を受け入れることだからです。

フランスの場合、誰もが身勝手です（笑）。もともと〝無秩序〟なのですから、移民受け入れを誰も不安視しませんでした。

フランスは、一九世紀に先進国として初めて人口減少を経験した国です。ナポレオン戦争後に低い出生率と高い幼児死亡率が続いたのです。そこで移民政策を講じ、一九世紀末には移民大国になりました。その流れがその後のフランスの基礎をなしています。

では今の日本はどんな状況にあるのでしょうか。

日本に来るたびに将来を悲観する声をよく耳にします。しかし、日本の教育水準、秩序ある社会、技術力と工業力は申し分なく、世界をリードしています。この点で悲観的になる必要はありません。ただ、少子高齢化と人口減少だけは、危険水域に達しています。

二〇一八年五月、幕末にペリーの黒船が来航した下田を訪れる機会がありました。そこで寂れたシャッター街を通り、日本の人口減少を実感しました。おそらくこうしたことは、日本のあちこちで起きていて、日本の経営者にとって、人手不足は深刻な問題となっているはずです。

ですから、この度の移民受け入れ拡大は、日本にとって大きな一歩です。ただ、移民の受け入れにあたって肝要なのは、流入を賢明に管理することです。

そこで、移民受け入れにあたって犯しがちな過ちのリストをいくつか挙げてみます。これを「日本を愛する一人のフランス人からの提言」と受け取ってもらえたらありがたいです。

## 移民政策で犯しがちな過ち

第一の過ちは、移民受け入れ拡大によって、「少子化対策の方をおろそかにすること」です。

人口減少や出生率低下を不可避の前提とする議論がありますが、間違っています。国家の介入によって出生率が回復した例は、フランスやロシアなどいくらでもあります。

そもそも「移民受け入れ」と「少子化対策」は、二者択一の問題ではありません。双方を同時に進める必要がある。というのも、低出生率のまま移民受け入れのみを進めてしまえば、若い世代において、「ホスト国住民」と「移民」との人口バランスが崩れてしまうからです。そうなると、移民の健全な社会統合もできなくなります。移民を受け入れるためにも、出生率を上げ、若い世代を増やす必要があるのです。

第二の過ちは、「外国人労働者はいずれ国に帰ると思い込むこと」です。

移民は状況が許せば、必ず定着しようとします。そして夫ならば妻を呼び、妻ならば夫を呼び、子供も呼ぶ。そして新たな子供も産まれる。ですから外国人労働者をその当人だけで見てはいけないのです。「外国人労働者は必ず定住者になり、家族も呼び寄せる」と覚悟すべきです。

第三の過ちは、「移民を単なる経済的現象と考えること」です。

移民現象は、市場至上主義の経済学では、「労働力の流動性」としてしか扱われません。とくに新自由主義のイデオロギーでは、個人は、その文化的特殊性を剝奪された交換可能な抽象的個人として扱われます。しかし、それぞれの個人は、特定の文化的背景を背負っています。

私は基本的に移民を擁護する者、移民主義者です。ただし、移民の無制限の受け入れを無責任に擁護する者ではありません。移民の受け入れは、人々の文化的な差異に注意しながら慎重に進めるべきだからです。

たとえばドイツによるシリア難民、中東移民の大量の受け入れは、危険な行為であると言わざるを得ません。文化的な差異は、見くびってはしっぺ返しを食うような、無視できないものだからです。

そうした文化的差異には家族構造の違いが大きく影響しています。ドイツには、大勢のトルコ系移民が暮らしていますが、彼らの社会統合は、成功しているとは言い難い。ドイツが完全な外婚制（イトコ婚の禁止）であるのに対し、トルコ人の内婚（イトコ婚）率は約一〇％で、こうしたトルコ人社会とドイツ人社会の大きな文化的な違いがあるからです。

ところが、シリア人の内婚率は約三五％です。内婚率が高い社会は、集団として閉じた社会を形成する傾向があります。ここから指摘できるのは、移民の社会統合は、トルコ移民よりもシリア移民の方がはるかに難しい、ということです。

ドイツは、すでに存在するトルコ系移民の統合すらうまくいっていない。にもかかわらず、シリア移民を大量に受け入れようとしている。

つまりドイツは、労働力を手っ取り早く移民で補う安易な政策によって、みずから危険を引き寄せているのです。日本は、このドイツと同じ轍を踏むべきではありません。

第四の過ちは、「移民受け入れにあたって多文化主義を採用すること」です。

いきなりこう申し上げると戸惑う読者が多いかもしれませんが、移民受け入れに必要なのは、「多文化主義」ではなく「同化主義」です。

「多文化主義」とは、「同化主義」よりも聞こえは良いですが、要するに「移民隔離」政策です。

移民にとって可能な未来は、「同化」か「隔離」の二つしかありません。そして移民にとっての究極的な運命は、「同化」しかありません。長いスパンで見れば、受け入れ国にとって移民を「隔離」するのは、持続可能な解決策とはみなせないからです。

ヨーロッパでは、かつて英国やドイツが多文化主義を唱え、「移民を無理に統合させようとせず彼らの自主性に任せる」という政策を採りました。しかし、結局うまくいきませんでした。

移民に対し「同化主義」を採用してきたのは、フランスです。

フランス中央部の伝統的な家族構造は、「平等主義核家族」（子供が成人すると親と別居して独立し、親の遺産は兄弟間で平等に相続する）です。この家族構造にもとづくフランス人の平等主義と普遍主義は、移民を本質的に「異なる人間」とは見なしません。ですから「同化」を自然なことと見なします。

大部分のフランス人は、「外から来た人はフランス人になるべきだ」と考えます。一夫多妻のマリ人なら、一夫多妻制をやめるべきだ、マグレブ人が妻を家庭に閉じ込めるのはやめるべきだ、と。そしてそれらすべての子供たちを「フランス人」にする。こうして肌の色はさまざまでも、習俗的にはかなり均質的な「フランス人の子供」が育ってきます。これが「同化」です。たとえば、韓国から子供を養子にもらい、フランスで育てれば、立派な「フランス人」になるでしょう。

その国で主流の言語と文化は、主流であり続ければいい。むしろ社会の存続のためには、その必要があります。日本なら、日本語と日本文化を主流として、「同化主義」を採ればよいのです。

ただ、フランスの「同化主義」が問題を起こすのは、それが教条的で高圧的で不寛容なものになる時です。これが、イスラム系移民とその子孫らを傷つけ、分断を招いています。

## 寛容な「同化主義」を

ですから「同化」は、決して急いではいけません。「同化」には時間がかかるのですから、移民に時間的余裕を与えるべきです。

移民の第一世代が、日本語や日本文化になじまず、異質のままであっても、それを認め、第二、第三世代が日本への帰化を望めば、それを歓迎する。そうした寛容で柔軟な「同化」政策こそ求められます。

移民が受け入れ国に「同化」するというのは、そこで「場所のシステム」が作用している、と言い換えることもできます。

たとえば、ニューヨークでも、サンフランシスコでも、ロサンジェルスでも、米国の家族構造は、相変わらず、「絶対核家族」（親子関係が自由主義的で、兄弟関係では平等に無関心）です。こうしたイングランド流の家族形態の原型は、スコットランド、アイルランド、ドイツ、スウェーデン、ポーランド、ユダヤ、イタリア、日本、韓国、中国などからの三世紀にわたる移民流入を経てもなお変化していません。移民の子孫は、二世代目か三世代目になると、元の家族システムがどのようなものであったとしても、受け入れ社会の家族システムを採用するからです。

親が子供に教え込むことで、ある価値が伝達されます。しかし、価値伝達のメカニズムは、それだけではありません。学校、街、近所、企業など、家族よりも広い環境で価値観が再生産され、伝達されるメカニズムも存在します。これが「場所のシステム」です。だからこそ、多くの移民を受け入れながらも、米国は米国であり続け、カナダはカナダであり続け、オーストラリアはオーストラリアであり続ける。

それぞれの「場所のシステム」を個人は時間をかけて自分のものにしています。しかし、その人がまた別の土地へ行けば、時間はかかりますが、また別の「場所のシステム」を身につける。そうやって「場所」は、ある文化を再生産しながら、「個人」は、一つの「場所」から脱却する自由を有している。だからこそ、移民の「同化」も可能になるのです。

第五の過ちは、「非熟練労働者の移民のみを増やすこと」です。

現在、人手不足が深刻な分野ばかりで外国人労働者を受け入れると、熟練度も収入も低い移民ばかりになってしまいます。

そうなると、社会階層の下部に新たな「階層」が生まれてしまうでしょう。しかも、そこにエスニックな要素が加われば、社会階層の分断がより強化されてしまいます。

そうした分断を防ぐには、職業レベルや教育レベルの高い外国人労働者も、すぐに必要でなくとも受け入れるのが賢明です。質の高い教育を受けた優秀な外国人が来るのは、それだけで日本にとって大きなメリットにもなります。

いずれにせよ、外国人がさまざまな階層に分散している方が、「同化」もスムーズに進むはずです。

第六の過ちは、「移民の出身国をある特定の国に集中させてしまうこと」です。外国人労働者の出身国と人数に配慮し、出身国を多元化するのが賢明です。というのも、移民の流入を成り行きに任せると、流入の道筋が自然にでき、特定の国の出身者の数が突出する結果となるからです。

率直に言えば、日本は、中国出身者ばかりが増えすぎることを注意して避けるべきです。フランスでも見られることですが、北京政府は、外国に渡った中国人同胞との絆を維持する政策を明らかに採っています。つまり、求めに応じた中国系移民が、北京政府による他国介入のエージェント役を果たす可能性があるということです。

ただ、これもフランスでは、別に問題視する必要はありません。まずフランスは中国から地理的に遠いからです。また、フランスに来た中国系移民は、個人主義的なフランスの文化にほぼ完全に「同化」してしまうからです。ところが、日本にとって中国は、地理的に近い大国で、その影響力は無視できません。

私には中国系の友人もいますが、こう申し上げるのは、私が中国人に対して個人的なシンパシーや友情を抱いている事実とは別問題です。

もし私が日本の「移民省大臣」として政策決定責任者であれば、「用心の原則」に則って、中国出身の移民は最小限に留めようとするでしょう。現在の中国があまりにも帝国主義的な政策を採っているからです。

もちろん、日本にいる中国系移民のほとんどは、日本社会にむしろ好感を持っていて、反抗心など抱いてはいないでしょう。しかし、なかにはそうでない人も出てくる可能性がある。ですから、そこは用心するに越したことはありません。

## 日本は自信を持つべきだ

一般的に日本人は、外国人に対して寛容です。しかし、外国人を社会に統合していくという点では、今の日本は成功しているとは言い難い。そこだけ見ると、日本は「同化」と無縁な社会のように見えます。

しかし、過去の歴史を振り返ると、アイヌや朝鮮半島の人々など、日本にも「同化」の歴史があったことが確認できます。

もちろん、こうした「同化」には、教条的で高圧的で不寛容な面もありました。ただ私は、ここで一人の人類学者として、日本社会が「同化」の潜在能力を持っていることを指摘したいのです。

日本の歴史には、一見矛盾する二つの傾向があります。

一つは、「日本人の自分たちは非常に特殊で、外国人は自分たちと異なる」と見る差異主義的で、「分離」や「隔離」に向かう傾向です。

ところが他方で、日本は垂直性の強い社会で、意外にも「外部の人を内部に引き入れて包摂し、同化していく」能力も持っています。

これは、私の専門分野からすれば、日本の伝統的な家族構造に由来する二面性です。

日本は、ドイツと同じ「直系家族」（子供のうち一人が跡取りとなり、結婚後も親と同居し遺産を相続する）です。この直系家族は、「（親子間の）権威主義」と「（兄弟間の）不平等主義」という二つの基本的価値を併せ持っています。

このうち「権威主義」という価値は、「一つの秩序のなかに包摂する」という日本社会の同化主義的傾向につながります。他方、「不平等主義」という価値は、移民を「異なる人間」と見なす日本社会の隔離主義的傾向につながります。

問題は、日本の直系家族の「権威主義」より「不平等主義」の価値が前面に出てしまうことです。

ただ、外国人を受け入れるというのは、いわば国家の大改造です。明治維新や戦後改革のような大変革期には、むしろ天皇や官僚システムといった垂直的な「権威」がうまく機能します。

ですから日本の移民受け入れ拡大は、組織的に制御して行うべきです。「放っておけばいい」というフランス的方法では、うまくいかないでしょう。日本は秩序の社会で、決定が上から下される社会ですが、それでいい。「上からの改革」に合った社会だからです。

日本は、明治維新の際、わずかな期間に、西洋の文明に適応し、近代化を実現しました。考えてみれば、日本は古代から、舶来物を吸収し、環境の変化に不断に適応してきた社会です。この適応能力こそ日本文化の真髄ではないでしょうか。

いま日本は、幕末期のような国家的危機に直面していますが、今こそ、そうした本領を発揮すべき時だと思うのです。

移民の受け入れは、日本にとって、「第二の明治維新」といった大変革です。当初は、不安に思う人も多いかもしれません。しかし、その不安から日本の社会が硬直化してはいけません（日本のような直系家族社会の短所の一つは、完璧さを目指して柔軟性を失うことです）。

まず日本は自信を持つことです。日本の文化は、間違いなく、人類史の素晴らしい達成の一つです。実際、日本文化に魅了されて、多くの外国人が日本にやって来ています。

そのようにやって来た外国人が長く定住するようになれば、次第に日本社会に属することを誇りに思い、さらには「日本人になりたい」と思うはずです。

日本は、そのくらいの自信を持った方がいい。自信をもって外国人に寛容に接すれば、必ずや「同化」は成功するはず。私の愛する日本がそういう日本になることを心から願っています。

（通訳＝堀茂樹）

# Ⅱ　アングロサクソンのダイナミクス

# 4　トランプ以後の世界史を語ろう

黒人を〝疎外〟したのはトランプではなく民主党だ

原題　トランプ以後の世界史を語ろう
初出　『文藝春秋SPECIAL』二〇一七年春号／
「アトランティコ」二〇一六年一一月一五日

## 普段の方法が通用しなかった

――二〇一六年六月の英国のEU離脱（ブレグジット）に続いて、今度は米国国民が大統領選挙で、ドナルド・トランプという想定外の選択をしました。選挙前夜、ナントのオダンシア・ビジネススクールにおける講演で、あなたはトランプ勝利の可能性を否定しませんでした。それはなぜですか？

その講演はグローバル化と米国社会の危機をめぐるものでしたから、たしかに今、トランプ勝利の理由を解き明かすのに役立つでしょう。私は単なる思いつきでトランプ大統領出現をありえると言っていたわけではありません。結果が出た今、なぜ、どのように私は「トランプはありえない」という大方の意見に抗することができたのか、考えてみましょう。

そう簡単なことではありませんでした。この問題には、私が普段用いている方法が通用しないのですから。私はこれまでの学者人生の大半を費やして、人々の政治的行動やイデオロギーを決定する因子を経済領域の外にも探求すべきだと提唱してきました。そして、家族構造、宗教的価値観、教育による階層化などの内にそうした因子を見出してきました。

しかし、このアプローチをとると、米国社会は新自由主義、超個人主義、不平等の拡大、世帯収入の中央値の停滞、さらにはその低下に、無限に耐えられるという結論が導き出されます。アングロサクソン流の核家族（絶対核家族）は、個人主義的で、自由を重んじますが、平等にはまったく気を配らないからです。

米国にはプロテスタントの新興宗派が多く存在していますが、その教義は、選ばれて天国に召される者と地獄に落とされる者を決定的に分けて、まさに不平等なビジョンを提示しています。

それに加えて、教育による新たな階層化が高等、中等、初等と最終学歴によって人々をランク付けし、米国社会の格差をさらに拡大しました。

ですから、（ヒラリー・クリントンやエスタブリッシュメントの新聞各紙が予測したように）米国社会のこのような趨勢《すうせい》が変わることはなく、ヒラリーが大統領になるだろうと予想することも当然できました。その場合には、英米が新自由主義を生み出したのは、良きにつけ悪しきにつけ、それが自らの文化に適合していたからだと考えるわけです。グローバル化への抵抗はフランスのように平等を重んじる国、ドイツや日本のように社会的統合を重んじる国、ロシアのようにその両方を守ろうとする国でしか起こりえないのだ、と観念するのです。

## 米国白人の死亡率が上がっていた

しかし、一九九九年から二〇一三年にかけて、「四五歳から五四歳の米国の白人の死亡率」が上昇していたことを知って、私の考えは大きく揺らぎました。

高等教育を完全に終えた白人の死亡率は少し下降していたのですが、高等教育を完全には終えなかった白人ではそれが横ばいで、その下のカテゴリーでは上昇し、全体の率を引き上げていました。米国の多数派社会集団であり、有権者の七二％を占める白人が、死亡率上昇を記録するほどのストレスに疲弊しているとすれば、これは注目しないわけにはいきません。なにしろ、この上昇の原因は〝自然な〟ことではなく、自殺、アルコール、ドラッグ、薬物中毒などだったからです。

私は直観しました。事ここに及んでは、新自由主義イデオロギーに基づくシステムも、さすがに崩壊するかもしれない、と。そのデータは、経済的なグローバル化が、アングロサクソンの国々でさえも耐えられないほどの不安定を、個人と社会にもたらすに至ったことを示していました。

米国大統領選の出口調査が明らかにしたのは、トランプに一票を投じた人々の主な動機が、結局のところ、変化への意志だったということです。ヒラリーが体現しているものだけはイヤだ、ということだったわけです。

突き詰めていうと、米国のこのような危機を直観することで、私は方法的には、未来予想の直観が自分の人生に初めて訪れたときに立ち帰ったのでした。人々のイデオロギーが家族構造によって決まるという仮説と研究をまとめる前の一九七六年に、私は『最後の転落――ソ連崩壊のシナリオ』(藤原書店)という著作で、このときも一つの直観から出発して、ソ連の崩壊を予言しました。その折の直観は基本的に、ソ連において一九七一年から一九七四年にかけて乳幼児死亡率が上昇していたことに基づいていました。

## 人類学的与件に反するほどの不合理

今なら私はこの予測を次のように解説することができます。

ロシア農民の共同体家族は、平等主義的かつ権威主義的なので、共産主義のイデオロギーに行き着いた。しかし、ある段階まで来て、共産主義の経済と社会はあまりに不合理になってしまった結果、ロシアは自らの人類学的与件に由来する方向づけをも乗り越えて共産主義を厄介払いした、と。

米国で今、それと同様のことが起きているのです。つまり、アングロサクソンの絶対核家族に潜在的に備わっている個人主義的で、不平等に寛容なイデオロギーが、あまりにも現実化されすぎてしまったために、米国はソ連とは別の形の不合理なシステムを作り上げてしまった。それに対して、米国国民が抵抗を始め、別の方向へ進もうとしている。

この意味で、米国で今、起きていることは、一九九〇年頃にソ連で起きたことと類似しており、同じくらいの歴史的重要性を持つことになるでしょう。いずれの場合も、死亡率が研究者に知的直観を与えました。人口学は経済学よりもずっと信頼できるのです。

こういうわけで歴史上、新自由主義の転落が共産主義の転落に続くのです。しかし、両者の比較はここまでであり、私はそうであることを期待します。資本主義はいわば可塑《かそ》的で、多様な形態で機能することができます。ですから、今後かなりのスピードで、国民国家としての米国が再建され得ると思います。

### グローバリゼーション・ファティーグ

――あなたはトランプへの投票を、平等を求める民主主義の反応であると読み解くのですね。では、投票行動を人種の面から見るとどうなるでしょうか？　共和党は従来から白人の党であり続けてきました。それに対して、民主党は黒人とヒスパニックを擁護してきた。トランプは「愚かな白人」が選んだ大統領のように語られています。

今回の大統領選の社会学的な読み解きは、何よりもまず「教育レベル」と「人種」という要素に注目して行われました。それはそれでよいのですが、やはり選挙戦のテーマを睨《にら》んでおく必要もあります。

大統領候補を決める予備選挙は、サンダースとトランプの目覚ましい台頭という二重のサプライズによって始まりました。二人の共通点は「自由貿易」を批判したことです。サンダースは敗れましたが、トランプは共和党がこれまで墨守《ぼくしゅ》してきたイデオロギーから自由になることで勝利しました。

フランスやその他の国々の人々が、トランプが選挙中に唱えていた政策を実際には実現できないだろうと考えたいのは、よくわかります。しかし、米国社会の容易には変えがたい趨勢、イデオロギーの座標軸の左から右までを巻き込む趨勢を、私たちは、しかと見極め、認識しなければなりません。

現在の米国で真に支配的なイデオロギーは、私が「グローバリゼーション・ファティーグ（グローバル化疲労）」と呼んでいるものです。ある意味で、トランプの政策は、すでにオバマ政権の下で始められていたとも言えます。米国はリーマンショック以後、最も顕著に保護主義的政策を採った国であり、国のインフラを再建する大規模公共事業への支出はすでに始まっています。ですから、ここではまず、マルクス主義的な経済決定論に一定の有効性を認めましょう。トランプ勝利はひとつの経済的な選択なのだと。

## 人種差別とセットの米国のデモクラシー

トランプが教育水準の低い白人層の票を集めたことは確かですが、中間層からも支持を集め、教育水準の高い白人層においてヒラリー・クリントンを少し上回る票を得ました。黒人票の八九％がクリントンに投じられましたが、オバマのときよりも、黒人の投票率は下がっていました。

これまでの大統領選挙と比較して最も大きな違いは、今回、「所得水準」が投票先を決めるのに大きな影響を与えたことです。共和党は、従来、富裕層の党であったはずなのに、今回、年収二〇万ドル以上の層においては民主党と五分で渡り合う程度に甘んじました。全体としては、たしかに、所得水準は投票行動において、もはやさほど決定的ではないという印象を受けます。しかしそれは、とてつもない変異の結果です。

つまり、富裕層の多くが共和党から出て行ってしまったのです。第一、選挙期間中、資金は民主党の方に集まりました。ウォール・ストリートはクリントンを応援しました。有名な歌手や俳優もそうでした。彼らは「左寄り」、あるいは米国人の言う意味での「リベラル」と見なされているわけですが、そうはいっても実際のところ、グローバル化の恩恵を受けて億万長者になっている人々です。

――人種の問題には答えてくれないのですか？

そんなことはない。これから答えようとしているのです。ただ、最初にジョークを言わせてもらいます。紋切型の議論への疑問を惹起《じゃっき》するために。五大湖とペンシルバニア州の間に広がるラストベルトのいわゆる「無学な白人労働者」は、大統領候補が黒人（オバマ）だったときは民主党に投票しましたが、白人（ヒラリー）になったら民主党に投票するのをやめてしまいました。

ジョークはここまでです。米国の人種問題を理解したいのであれば、米国流民主主義の基礎に遡《さかのぼ》らなければなりません。人種偏見は米国社会に深く、分厚く根を張っており、とてつもなく強固なのです。フランスに、それに匹敵するものは皆無です。

たとえば、異人種との通婚率が非常に低い米国の黒人女性のような社会集団は、フランスには存在しません。ロイック・ヴァカン（フランスの社会学者）が『都市のパーリアたち（Urban Outcasts）』（二〇〇七年、未邦訳）で明らかにしたように、米国の黒人が住んでいる「ハイパーゲットー」の悲惨さときたら、フランスで最も荒廃している郊外《バンリュー》の状況の比ではないのです。

問題はこれだけではありません。米国は建国以来、人種差別と分かち難いデモクラシーの国なのです。米国をつくった英国人たちは、そもそも人類の平等性を信じていませんでした。彼らがどうして民主主義的な理想を信じるに至ったかを説明するには、次の経緯を認めるほかありません。すなわち彼らは、まず先住民、続いて黒人という、白人以外の人種グループに劣等のレッテルを貼りつけることで初めて、米国では白人はみな平等なのだ、と思えるようになったのです。

## 黒人を叩くことで自らを破壊した白人中間層

——その人種問題は今日、米国の政治空間をどのように構造化していますか？

ニクソン以来、共和党は選挙運動の道具として、人種差別撤廃や黒人の政治参加に対する白人のルサンチマンを利用してきました。内輪の言語を使うことで、共和党は巧妙にも、「福祉国家」は黒人たちのためのものだという考えを浸透させました。共和党はリンカーンの党であり、奴隷解放をやってのけた党ですが、その後たちまち白人の党になったのです。人種偏見は、レーガンが大統領になって以降、新自由主義革命を進めるための枢要の梃子《てこ》として機能しました。

レーガン、ブッシュ親子の支持者が、減税や、フランクリン・ルーズベルトがつくった福祉国家の破壊に喝采を送った主な原動力は、人種差別です。黒人を叩くことで、白人の中間層、庶民層は自らを破壊しました。白人有権者の大半は、過去数十年にわたって、内心では黒人への偏見に動かされ、声を大にして宗教的な価値観を守ることや中絶反対を叫び、自分たちの経済的な利益に反する投票行動をしてきたのです。

それが最も顕著に表れたのが、保護主義を掲げた民主党のウォルター・モンデールが、共和党のレーガンに粉砕された一九八四年の大統領選挙でした。

その有権者たちは正気を失っていたのだ、あるいはもしかすると単にマゾヒストだったのだろう、と言えるかもしれません。ところが、そのレイシストでマゾヒストの有権者たちがいなくなったことを、米国の『ワシントンポスト』や『ニューヨークタイムズ』、英国の『ガーディアン』や『インディペンデント』、またフランスの諸新聞の論説委員たちは、残念がっているようです。自分の利益を顧みずに投票していた人々、減税を実行し、あのイラク戦争のような軍事介入をした諸大統領に投票した人々に、彼らはノスタルジーを抱いているのです。

## トランプに投票した白人はレイシストではない

しかし今、すべての面において、米国の世論と政治的感性は変わりつつあります。非合理が後退しています。ロバート・パットナム(米国の政治学者)が示したように、宗教原理主義的な波も小さくなってきています。「市場への国家の介入」を求める考え方が再び大衆的な支持を得始めています。

それこそが、トランプ勝利の背景です。それがあったからこそ、トランプは選挙運動の中心に、宗教的あるいは人種差別的な情熱ではなく、「保護主義」と「国家への回帰」という、国民の現実的な経済的利益を据えることができたのです。レイシズムの問題は、甘い幻想ぬきに提起されなければなりません。しかし、トランプへの投票を愚かな白人のレイシストたちの投票と見なす言説は、ばかげているだけではなく、完全に間違っています。

事実は正反対なのです。

――でも、黒人はトランプには、投票しませんでした……。

確かに。でも、今の段階では、誰が投票行動を執拗《しつよう》に人種問題にしたのかを問うべきです。今回の大統領選で、レイシストの言説を裏返した言説によって、投票行動を人種問題化したのは民主党だと私は確信しています。民主党はヒスパニックや黒人といったマイノリティに対して、よこしまな、あるいは倒錯した、あまりに図々しくて形容しがたいのですが、既存体制内の経済と教育の分野で真の特権を享受している階層――その大半は相変わらず白人です――との連携を促し、選挙における傭兵制のようなものを提案しました。何のためだったか？　米国民主主義の中核を成す白人層の力を潰《つぶ》すためでした。この戦略に私が嫌悪感を募らせたのは、まさにこの戦略によって、ヒラリーがサンダースを追い落としたからです。言うまでもなく私はサンダースに親近感を抱いていました。

私は民主党の予備選を州ごとに注視し、検討しました。サンダースの勝利を阻《はば》んだのは、間違いなく黒人有権者でした。

二〇一六年、政治的疎外を象徴する色が変わりました。「白人有権者の中核を成す層が自らの経済的利益に反する票を投じるシステム」から、「黒人有権者が自らの経済的利益に反する票を投じるシステム」へ移行したのです。実際、黒人は労働者階級に属する率が高く、時代と共に相当変わってきたとはいえ、教育水準が相対的に低く、「自由貿易」によって最も被害を蒙《こうむ》り、そのせいで苦境に立たされ続けている社会集団です。今回の大統領選挙で生じた究極の逆説は、トランプが彼の「保護主義的政策」を実行すれば、その恩恵を真っ先に受けるのは黒人だろうということです。

## ユーロは「自由経済的」ではなく「ソビエト的」

——われわれは英国のＥＵ離脱決定後、そしてトランプ大統領誕生後を生き始めています。世界の「地殻変動」ともいえる、この変動の現実から、フランスと欧州はどのような教訓を引き出すべきでしょうか？　フランスのオランド大統領とドイツのメルケル首相の公式の反応をどう見ましたか？

　オランドについては、肩をすくめるしかない。オランドに関して、私が言いたいのは、床屋代をフランス共和国に返せということくらいです（二〇一六年七月、大統領専属の理髪師の税引き前給料が月額で九八九五ユーロ（約一三〇万円）に上ることが、ある諷刺新聞により暴露された）。彼は無能で、現実感覚を完全喪失する寸前です。しかし、彼がフランスの政界・メディア界の凡庸さを隠蔽《いんぺい》するためのスケープゴートにされてしまったのは不当なことです。現行のシステムを代表する候補者は誰であろうと、大統領になったらオランドと同じことしかできないでしょう。つまり、ユーロ圏にとどまり、自由貿易を続けることになる。そうすれば、またしてもフランス社会を解体させる効果がもたらされ、われわれは暴力の増大にさえ直面するでしょう。

しかし、実際には、フランスの〝エリートたち〟は今こそ明晰になり、二〇一七年には一九八一年のエラーを繰り返さないようにすべきです。すなわち、世界において支配的で先導的な国々、つまりアングロサクソンの国々の動向から大きく外れた方針を採ってはいけないのです。

振り返ってみてください。新自由主義革命は、一九七九年のサッチャー政権、一九八一年初頭からのレーガン政権によって開始されました。そんななかで、一九八一年、ミッテラン大統領率いるフランスは、とびきりのやり方で時流に逆らいました。世界で新自由主義への転換が始まったさなかに、フランスはソビエト的な方向へ舵《かじ》を切ったのです。大企業や銀行を国営化しましたが、当然、そんな方針は成功せず、早くも一九八三年には、コントロールの行き届かない急激な方針転換を余儀なくされました。自らは新自由主義的だと思いこんでいるものの、はたから見れば単なる緊縮財政でしかないものへの転換でした。

この路線の延長線上で、フランスの〝ナイーブな〟高級官僚たちは、ＥＵの統一通貨ユーロを考案したのです。彼らはユーロを「自由経済的」だと思い込んだわけですが、実際には典型的な国家主導型の構築物であり、社会を上から支配しようとする欲望から生まれた、ほとんど「ソビエト的」な代物です。

二〇一七年はおそらく、フランスにとって、それと同じ過ちを犯すか、その反対に正しい方向に進むかの選択の年になるでしょう。英国のＥＵ離脱とトランプ大統領登場によって、英米は国家再建の方向に進み、グローバル化の理想からは遠ざかります。フランスの保守系の大統領候補のうちの誰かが次の大統領になるのでしょうが、皆、どれだけ新自由主義的になるかを競っているありさまです。全員が愚かな「自由貿易論者」なのです。彼らのなかの一人が、おそらく新しいミッテランとなり、世界の潮流から外れた場違いな行動をとることになるでしょう。

## 国民戦線とトランプの違い
### ――あなたは国民戦線（ＦＮ）の存在を無視するのですか？

フランスでは、国民戦線はトランプ的な党だと漠然と思われています。しかし、根本的な違いがあります。米国、英国においては、現行システムへの反逆が、そのシステムを支えている体制の内部から起こったのです。ボリス・ジョンソン、ドナルド・トランプは、既存体制内で優位な立場にある人間です。

一方、フランスは、反逆を牽引する存在として、構造的に周縁化されている極右（国民戦線）という、社会的な嫌われ者しか見出せていない。国民戦線が成功する可能性は依然として低いと思います。なぜなら、諸国民にはそれぞれに正統性を担保する条件があり、社会運営の基本原則を民主主義的に転換するには、支配階層の少なくとも一部分が進んでその転換を引き受ける必要があるのです。フランスでは、今のところその道筋がすっかり塞《ふさ》がれているように見えます。

フランスの指導層は、独創性も柔軟性も磨いてきませんでした。そこが心配なところです。フランスの定型は、支配階層が、まだ間に合ううちに譲歩して生き延びるのではなく、あくまで譲歩を拒んで首を斬られてしまうというパターンなのです。

この前提に立ちながらも、私は公民精神をもって、フランスの保守陣営に向かってこう呼びかけたい。あなたがたの側に、国の中で烈《はげ》しい衝突が起こるのを避けるために立ち上がってくれる、大胆で創造性に溢《あふ》れた政治家はいないのか、と。

（翻訳＝堀茂樹）

# 5　それでも米国が世界史をリードする

民主主義の〝失地回復〟は常に「右」で起きる

原題　それでも米国が世界史をリードする
初出　『文藝春秋SPECIAL』二〇一七年春号

## 世界をリードしてきた英米

――二〇一六年は英国のＥＵ離脱、トランプ大統領の誕生と、歴史が大きく転換しつつあることを感じさせる出来事が続きました。これは米国の覇権の終わりを意味しているのでしょうか？

　その問いに答えるために、まず長期的な視野に立って、世界史のなかで英国と米国が行ってきた「革命」について考えてみましょう。私の考えでは、一七世紀末から世界史にリズムを与え、牽引してきたのは、英米です。このことをフランス、日本、ドイツ、ロシア、中国の人々は謙虚に受けとめなければなりません。

　米国の政治経済学者であるアセモグルとロビンソンは『国家はなぜ衰退するのか』（ハヤカワ・ノンフィクション文庫）において、名誉革命によって自由主義的な君主制の成立した「一六八八年」を重要な世界史的転換点と見ています。私はと言えば、クロムウェルが清教徒革命を始めた「一六四二年」が重要だと考えています。

　いずれにせよ、一七世紀に英国が世界で最初に議会制民主主義を発明し、一八世紀には最初に産業革命を成し遂げ、一九一四年の第一次世界大戦に先立つ時代には第一次グローバリゼーションを先導しました。

米国は一八世紀の終わりに独立戦争（一七七五〜一七八三年）の過程で民主主義を創始し、一九世紀に目覚ましい経済発展を遂げ、一九八〇年代からは、今まさに終わろうとしている第二次グローバリゼーションの先頭にいました。

その間、英米以外の国々は、英米から押し寄せてくる政治的経済的な近代化の波に反応し、適応し、またあるときは抵抗し、拒否しながら、近代化を推し進めてきたにすぎません。一七八九年のフランス革命もまた、基本的には先進国だった英国を模倣したのです。フランス革命が重要だとすれば、英国発の近代的個人主義を他のヨーロッパ諸国に広める役割を担ったからです。結局、ドイツは自由主義を拒否してナチズムに至り、ロシアは自由主義を拒否して共産主義に至りました。しかし、英米以外の世界は、経済的な近代化については、否も応もなく追随するしかありませんでした。

## 日本にとっての「黒船」も

さて、ここまで述べたことは、日本人にとってはむしろ当たり前のことでしょう。日本人はまさに英米の圧力の下で、押し寄せてきた近代化に対応して明治維新を行ったのですから。

実は、フランス革命だって同じことです。世界中で「明治維新」が起きたと考えればいいのです。しかし、フランス人をはじめ、ヨーロッパ人はこのような見方を易々とは受け入れられません。自分たちは英国や米国と対等だと思っていますから。それでも、好むと好まざるとにかかわらず、一八世紀以降に大陸ヨーロッパで起きたことは、明治維新によく似ています。

――一七世紀以来の流れは変わらず、今後も英米が世界史をリードしていくとお考えですか？

はい、私はそう考えています。トランプ大統領による米国の国家回帰、英国のＥＵ離脱が、英米圏が世界の中心から退き、世界史にリズムを与える能力を失うことを示していると思うなら、それは間違いです。

## なぜ英米が世界史を牽引するのか

――なぜ、英米は一七世紀以降、世界史を牽引する存在になったのでしょうか？　そして、今後もそうであり続けると考えるのはなぜですか？

その理由は、経済学者シュンペーターの「創造的破壊」という概念と深い関わりを持っています。彼は『経済発展の理論』（岩波文庫）で資本主義の本質を考察し、「創造的破壊」を起こせなければ資本主義はダイナミックに動かない、という結論に至りました。「創造的破壊」とは、自分が作り出したものを自分自身で破壊し、新しいものを創ることです。英国人と米国人はそれに長《た》けているのです。しかし、それはフランス人、ドイツ人、日本人には難しい。

ではなぜ、英米は資本主義をうまく機能させる「創造的破壊」が得意なのか。その深い理由は、私の考えでは、英米の伝統的家族形態、すなわち「絶対核家族」にあります。絶対核家族においては、子供は大人になれば、親と同居せずに家を出て行かなければならない。しかも、別の場所で独立して、親とは別のことで生計を立てていかなければならない。これらのことが、英米の人々に、シュンペーターの言う「創造的破壊」を常に促していると考えられます。

## 英米の経済的離陸は保護主義で可能になった

——一七世紀以降の世界史を動かしてきた資本主義の核心にある「創造的破壊」を生み

出してきたのは、英米の家族形態である、ということですね。

英米が資本主義を世界に広め、世界史にリズムを与えることができた原動力は他にもあります。たとえば、「ネーション（国民）」という概念を発明したのも、フランス人ではなく、英国人です。ライア・グリーンフェルド（米国の政治学者）の『資本主義の精神（The Spirit of Capitalism）』（二〇〇一年、未邦訳）によれば、英国人が発明した近代国民国家は、資本主義の発展に必要不可欠でした。実際、英国と米国の経済的離陸は、非常に高い保護主義の障壁があったからこそ可能になったのです。

トランプが再建しようとしているのは、この〝壁〟です。ですから、英米が世界史において新しい概念を発明してきたことと、今日、米国が、自由貿易に惑溺《わくでき》するドイツをよそに、再び国家を中心にした国造りをしようとしていることには、何らの矛盾もありません。

## 英語圏の人口増加

英米圏が世界の中心であり続けるもう一つの理由は、人口の大幅な増加です。英国、米国にオーストラリア、カナダ、ニュージーランドまで含めた英語圏の人口が今日ほど多くなったことはありません。

具体的な数字を見てみましょう。二〇一五年の時点で、英語圏人口は四億五〇〇〇万人、これに対して英国を除いたＥＵ圏の人口は四億三八〇〇万人でした。これが二〇三〇年には、英語圏は五億六〇〇〇万人、ＥＵ圏は四億四〇〇〇万人になると予測されています。

つまり、大陸ヨーロッパはすでに英語圏よりも人口が少なく、今後、その差は開いていくのです。しかも、大陸ヨーロッパは一つの言語を話しているわけでも、一つのアイデンティティにまとまっているわけでもない。多数の言語を話し、ヨーロッパ人のアイデンティティは今、収斂《しゅうれん》ではなく、分裂の方向に向かっています。一方、英語圏の社会はどこも非常によく似ています。

ですから、たしかに今、米国内には恐ろしいほどの対立があり、闘争が繰り広げられていて、トランプ大統領が選挙で唱えてきた政策を本当に実行できるかどうか、予断を許しませんが、しかしながら、もし彼が保護主義的な政策をすべて実行できるならば、高い確率で成功するだろうと言えます。

ただし、保護主義を実行しても、米国経済の目の覚めるような復活は期待できないと思います。それを実現するために必要なものが、米国からは失われているからです。それは産業や技術についての情報の集積、社会や家族における規律などです。米国はもはや、プロテスタントらしい、規律正しく勤勉な人々の国ではありません。

――米国発の自由貿易から保護主義への転換はうまく行くでしょうか？

トランプを大統領に押し上げた運動も、保護主義の要求も、ともに非常に大きな潜在力を秘めています。それらは民主党のサンダースの周りにも集まりました。すべての世論調査は、米国の若者が「国家への回帰」を求めていることを示しています。しかし、トランプに対抗する勢力、マスコミ、エスタブリッシュメント、ウォール街の支配者たちは、戦いはまだ終わっていないと考えています。米国は今、途方もない危機のさなかにあります。

とはいえ、くれぐれも断っておきますが、私個人は、トランプと一緒に長期休暇を過ごすようなことは御免です。私は英国籍の息子を持つ、〝育ちのいい〟フランスのブルジョワ知識人ですから（笑）。トランプ氏とウマが合うはずがありません。

しかし、そのような好悪の感情に惑わされずに眺めれば、トランプ現象は、民主主義の〝失地回復〟をもたらす「革命」となる可能性があります。その革命は、資本の格差を拡大するグローバリゼーションの力に対抗するものです。

もちろん、「反革命」が起きるかもしれません。世界史は不確実性に満ちていて、どちらが勝つかは予測できませんが、いずれにせよ、この世界の基本的な方向を決める戦いは、米国の内部で決着がつくでしょう。

## 民主主義の隠された土台

――民主主義の失地回復であれば、サンダースが大統領になっていれば、国内でも国外でも、これほどの反発を招くことはなかったのではないでしょうか。ところが、トランプが選ばれた。それはなぜでしょうか？

もし私が米国民だったらサンダースに投票していたでしょうから、その疑問は至極もっともと感じます。しかし、英国のＥＵ離脱、トランプ現象、欧州におけるポピュリズム政党の台頭を注意深く観察すると、どちらかと言えば「左派」を自認する私にとっては悲しいことなのですが、民主主義の〝失地回復〟なるものは、政治的な座標軸で言えば、常に「右」で起きているのです。

――それはなぜなのでしょうか？

教科書では、よく次のように説明されています。民主主義の拡大は全世界で起こっている。識字率が上昇すれば、都市化が進めば、国を問わず、どこでも民主主義が勃興し、広がっていく。つまり、いくつかの条件が整えば、民主主義は普遍的に起きる現象である、と。そこで人は、民主主義は本質的に普遍主義の思想だと思ってしまいます。

しかし、これは民主主義が普遍的な現象であることと、それが普遍主義の思想であることを混同した勘違いです。実際はそうではなく、民主主義には隠された土台があり、それはエスニックなものなのです。

考えてみれば、民主主義はそれが始まったときから、自分たちを特別だと考えて、それ以外の者を排除し、そうすることでグループを成し、その内部で討議をする、ある特定の集団のものでした。英国の民主主義は、カトリックのローマ教会と袂《たもと》を分かったプロテスタントの社会を母体として生まれ、米国の民主主義は、白人が社会から先住民や黒人を排除することで生まれました。

民主主義には、その発生時から、エスノセントリックな（自民族中心主義的な）側面が埋め込まれているのです。ところが、「左」の政治勢力には、国際主義的、普遍主義的、グローバリズム的な価値観が非常に深く浸透している……。

これらのことが、民主主義の〝失地回復〟が常に「右」で起きる理由です。つまり、左派が普遍主義的な価値観に足を掬《すく》われて、民主主義のエスニックな側面に遡及《そきゅう》できず、もたもたしている間に、右派政党は自らにもともと備わっているその側面を打ち出すことで、自然と、民主主義の〝失地回復〟を求める票を集めてしまうのです。

この結論を、私は人類学者、歴史家として、正しいと思います。しかし、普遍主義の染み付いているフランス人としての私には、俄《にわ》かには受け容れがたい結論です。

このように考えてみると、政治的概念は次のように組み替えなければなりません。右派政党は民衆の声を吸収するとき、右派政党であることから脱却して国民政党になっていく。それに対して、左派政党は文化的差別を排することに執心するあまり、実際には国際的な寡頭制（グローバル化した金融資本による支配）を代表することになってしまう。米国の民主党、フランスの社会党などがその例です。

これからは、各国でエスニックな背景を持つ民主主義の〝失地回復〟がなされ、そのあとで、人類が普遍主義的に共有できる何かを改めて構築していく世界になっていくのではないでしょうか。

## ドイツと欧州の危機

――世界的に国家を軸に民主主義の失地回復が行われ、自由貿易から保護貿易への転換が行われていくとすれば、普遍主義的な価値観を表明してきたメルケル率いるドイツはどうなっていくのでしょうか？　トランプは早くも大統領就任前に、メルケルの大量の移民受け入れは「破滅的過ち」だったと批判しました。

成熟したヨーロッパには危機が訪れるでしょう。それは、つまり「ドイツの危機」です。ドイツはヨーロッパにおいて、あまりにも急激に国力の頂点に達してしまったと同時に、出生率の著しい低下と大量の移民という人口構造の脆さ、戦後体制に起因する特殊な軍事的な弱さを抱えています。

このまま米国が保護主義的な方向へ進めば、ドイツは軽率にも傲慢な自由貿易体制に浸りきっていますから、ドイツとヨーロッパは深刻な危機を迎えるでしょう。それは結局のところ、米国の新しい政治経済の体制にドイツが適応できないことから招来される危機です。英米が世界史にリズムを与えていることの結果が、そこにも表れます。

## 中国は「世界の中心」になりえない

――トランプ大統領就任式の直前に中国の習近平国家主席は、ダボス会議で、グローバル化、自由貿易の推進と保護主義への批判を述べました。この発言をどのように受けとめましたか？

中国の恐怖と無力な怒りの反応だと思いました。自由貿易のリーダーになろうなどという中国の思い上がりは、私に、ブレグジット直後のフランスの政治家たちの反応を思い出させました。彼らはこう言い始めたのです。英国がEUから出ていけば、ヨーロッパの金融資本の中心はロンドンからパリに移るのではないか、と。いったい、分別のある銀行家たちが、パリに拠点を移すでしょうか。パリは、まったく機能していない通貨であるユーロを発明した官僚たちが支配する街です（笑）。私に言わせれば、北京もパリも滑稽です。

中国はグローバル化した世界において、ドイツと対をなす双子のような存在です。つまり、どちらもグローバル化を推進した国ではないのです。グローバル化を推進した国とは、言うまでもなく米国と英国であり、さらに言えば、その金融資本の中心であるニューヨークとロンドンです。

中国経済はすでにさまざまな困難を抱えており、成長率は公式発表でもインドを下回っています。米国を中心としないグローバリゼーションがありうるとしても、中国にそのリーダーになる能力は絶対にありません。むしろ、英米がリズムを与える世界史に適応する上で、中国にはあまりにも多くの困難が立ちはだかっています。

それゆえ中国は、叩くべき対象ではなく、助けるべき国です。中国を恐れてはいけません。これから米国がロシアとの関係を重視し、両国が接近すればするほど、中国はロシアの優れた軍事技術を取り入れることができなくなり、軍事的な優位を失っていくでしょう。ですから、日本は中国がこれからの世界の中心となるという幻想に惑わされてはなりません。歴史的パースペクティブのなかで考えれば、それはあり得ないのです。

## 米国と軍事的に均衡したロシア

――トランプ大統領は確かに米露接近の動きを見せています。これから米露関係はどうなっていくのでしょうか？

ロシアは今や安定を取り戻しました。シリアなどでの行動から、米国との間で軍事的に均衡を保てるようになったことが明瞭に見て取れます。一方、米国は軍事技術においては、悪い選択ばかりしています。F35（ステルス戦闘機）の性能は自滅的です。それに対してロシアは、巨額の資金を投じることもなしに、軍事上の革新を成し遂げました。たとえば、イランに輸出した防空システムなどがそれです。ロシアは今や、軍事面で米国に抱いていた恐怖を払拭《ふっしょく》しました。

ロシアが米国と軍事的な均衡を保てるようになったことは、分別なしに帝国的アメリカを信奉するヒラリー・クリントンにとっては耐えがたいことでしょうが、国家を軸に米国を再建しようとしている、世界の多様性に目を背けないトランプにとっては、逆によいことでしょう。ロシアは、米国と軍事的均衡を保てる国になったことにより、一九九〇年代から二〇〇〇年代まで米国が浸っていた幻想、世界中で絶対的な権力を揮《ふる》う帝国という常軌を逸した幻想から、ほかでもない米国を救い出したのです。

米国の政治システムは、カウンター・パワーのシステムです。言い換えれば、権力を分散させ、それらを均衡させることで成り立っています。ですから、地政学的に見れば、ロシアは米国のカウンター・パワー・システムの一部分を構成するようになったとも言えるでしょう。

## 日本は「アジアの英国」になれる

――トランプ大統領の出現によって、大きく変わり始めた国際情勢のなかで、日本はどのような進路を取ればいいのでしょうか？

先ほども言いましたが、トランプ個人の発言や立ち振る舞いには辟易《へきえき》します。おそらく日本人もそうでしょう。日本には、茶道に集約されているように極度に上品で、礼儀正しく、他人を尊重する文化があります。また、日本人は、ものづくりや人間関係において〝完璧〟を目指そうとします。そんな日本人がトランプと付き合うときの苦労は、大変なものでしょう（笑）。

米国と日本の間には、さまざまな面でしばしば軋轢《あつれき》がありました。ですから、私は地政学的な観点から、日本への助言を述べたいと思います。

世界が今後ふたたび諸国家の独立を軸に再編されるとしても、英語圏の国々の存在は非常に強大です。フランスには、米国はトランプ大統領によって孤立主義に向かうのではないかと言っている人もいますが、それはばかげていると思います。

米国は今後も強大な政治力を発揮して、その周辺環境を最大限コントロールしようとするでしょう。そして米国の周辺環境とは、つまるところ、この惑星全体です。すると、米国は同盟を必要とします。米国が「帝国的な段階」から「求心力のある普遍的支配の段階」へと移行しようとするならば、特定の国々と特別な関係を築こうとするはずです。トランプ大統領はそのような関係構築をすでに英国や他の英語圏の国々と始めています。今後も米国は、自らの力を補完するために同盟国を求めるでしょう。中国やドイツとの対立も辞さないような局面ではなおさらです。

日本は、そのような米国が求める特権的な同盟国になるのに、以前にも増して有利なポジションにいます。米国から見れば、日本との緊密な友好が得られれば、グローバルな同盟圏をつくれることになります。そうなれば、米国はドイツに対抗して、改めて国家を重視する自国と世界秩序の再建を進めつつ、非常に強大であり続けることができます。日本から見れば、米国を中心とした同盟圏への参入ですが、米国から見ても、日本と組むのに優る戦略はないでしょう。

もちろん、トランプは日本に軍事費の増額など、さまざまな要求をしてくるでしょう。しかも、彼の言動や立ち振る舞いは耐え難い。だがしかし、です。「トランプ革命」が成功すれば、おそらく日本は以前にも増して、特権的な同盟国になれます。そうなれば、相互に保護主義的な環境のなかで、テロ対策、経済、技術をめぐる合意に達することができるでしょう。米国との関係において日本は、ヨーロッパにおける英国のような地位を占められるかもしれません。

もしかすると私はアメリカ人の楽天性に感染しているのかもしれませんが、トランプ以後の世界には、日本にとってチャンスが至るところにあるようにしか見えません。日本人は謙虚さを忘れずに、トランプに対しては心を開いたほうがよいと思います。このように見る私にとって、安倍首相のトランプ当選直後の訪米は非常によい行動でした。

以上、日本をめぐってここまでに述べたことは、客観的な知識人としての私ではなく、「日本人愛国者」としての私からの助言です！（笑）。

（翻訳＝堀茂樹）

# 6　それでも私はトランプ再選を望んでいた

「高学歴の左派」は「低学歴の労働者」の味方ではない

原題　それでも私はトランプ再選を望む
初出　『文藝春秋』二〇二〇年一一月号

## 米国社会の現実

「トランプ再選となれば、米国の民主主義も終わりだ！」といった言辞が繰り返されています。米国に限らず、エリート層が好む高級メディアほど、この論調です。トランプが、下品で馬鹿げた人物であることは言うまでもありません。私自身も、人として、とても許容できない。ただ、トランプをそう非難するだけで事足れりとすれば、米国社会の現実を見誤ることになるでしょう。

二〇一六年の米大統領選の際、私は「トランプが必ず勝つ」とまでは言わずとも、「トランプの勝利などあり得ない」という論調が大勢を占めるなかで、トランプ勝利の可能性を大いに強調しました。前回ほどオリジナルな見解とは言えませんが――というのも一度は起きたことなので――、今回もトランプ勝利の可能性が大いにあり、またトランプの再選の方が、米国にとっても、世界にとっても、どちらかと言えば望ましい――馬鹿げた対イラン政策などを理由に前回ほど積極的な支持ではないのですが――と私は考えています。なぜそう思うのか、その理由を述べたいと思います。

今の米国を見て最も鮮烈なのは、「政治・社会・イデオロギー面での分裂状態」と「良好な経済状況」という二つの矛盾した現実がぶつかり合っていることです。

まず人種問題などをめぐって、トランプ支持者とエスタブリッシュメント層の間で「内戦」と言っていいほどの激しい対立が生じています。

他方で、オバマ政権の終わり頃から続いているトレンドですが、米国経済は回復基調にあります。

**グラフ**が示すように、二〇一四年頃から家計の実質収入は上昇し、少なくともコロナ禍が始まるまで、貧困層も減少傾向にありました。さらには、エネルギーもほぼ自給できています。経済だけでなく、犯罪率も減少傾向にあります。人口動態の面でも、健全な人口増加率を維持し、今では三億三〇〇〇万人の人口を誇っています。

私は『帝国以後』(藤原書店)で米国の危機を指摘しましたが、その頃に比べ、米国は、社会として、ある種の安定を再び見出しているのです。表層だけを見て、「米国はカタストロフに陥っていて、破滅に向かっている」と見るのは間違いです。

では、社会としてこれだけ安定に向かっているはずなのに、国内でこれほど激しい衝突が起きているのはなぜなのか。ここから見えるのは、「経済」の基本的な論理に「政治」が合理的に対応していないということ、「言葉」が「(経済的)現実」から乖離していると

**グラフ　米国　家計の実質収入（中央値）の推移**

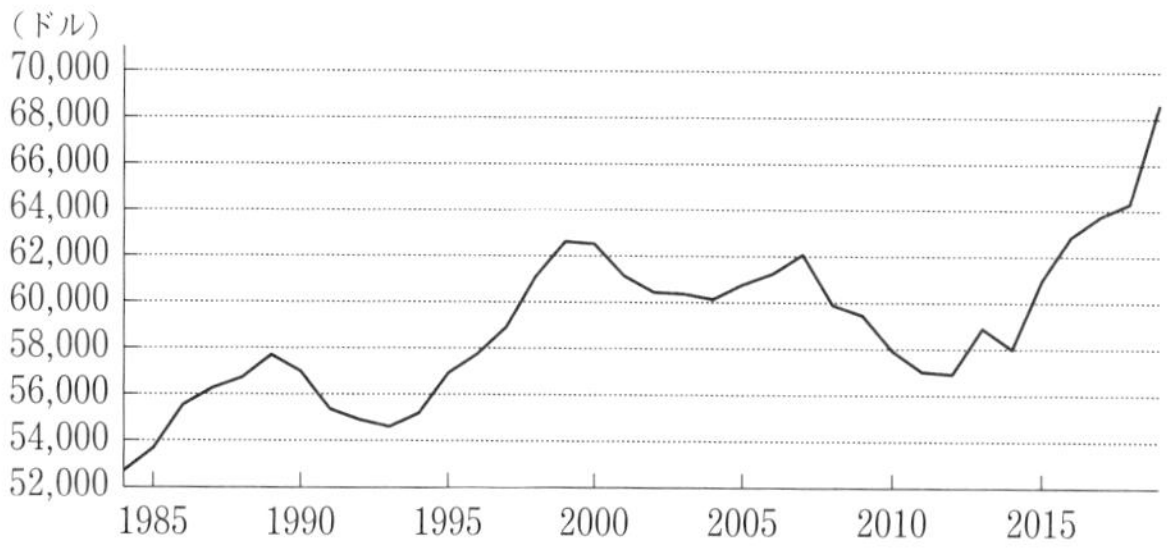


出典：U.S. Census Bureau　　2019年消費者物価指数で調整済み

いうことです。

## 「下層民」を見下す「左派」

前回の大統領選を振り返ってみましょう。

ヒラリー・クリントンが「自由貿易」「移民受け入れ」「寛容さ」を米国の〝理想〟として単に繰り返すなかで、米国社会の〝真実〟を語ったのは、トランプの方でした。

その〝真実〟は、例えば、一九九九年から二〇一三年にかけて上昇した「四五〜五四歳の白人人口の死亡率」に現れていました。

中年人口の死亡率の上昇というのは、先進国では前代未聞の現象です。中国との競争に敗れ、産業空洞化が著しい州ほど、死亡率が上昇していたことが示すように、これは、「自由貿易」に大いに関係していました。

私は、かつて「乳幼児死亡率の上昇」から、「ソ連崩壊」を予言しましたが、「保護貿易への転換を訴えるトランプに勝利の可能性」を見たのは、この「白人死亡率の上昇」という指標からです。ところが、エスタブリッシュメント層は、こういう〝現実〟を見ようとしなかったのです。

ニューヨーク、ワシントン、ロサンゼルス、サンフランシスコなど大都市のメディアや大学のエリートは、トランプ支持者を「学歴がない」「教養がない」と馬鹿にし、ヒラリー本人も、「嘆かわしい人々（deplorables）」とまで言いました。

学歴社会とは、「出自」よりも「能力」を重視する社会です。しかし、本来、平等を促すための能力主義なのに、過度な能力至上主義によって、高学歴エリートが、学歴が低い人々を侮蔑するような事態に至ってしまったのです。

高学歴エリートは、「人類」という抽象概念を愛しますが、同じ社会で「自由貿易」で苦しんでいる「低学歴の人々」には共感しないのです。彼らは「左派（リベラル）」であるはずなのに、「自分より低学歴の大衆や労働者を嫌う左派」といった語義矛盾の存在になり果てています。「左派」が実質的に「体制順応主義（右派）」になっているのです。

これは、「学歴」と「左派」が密接に結びつき、「高等教育」が「格差是認」につながっているという皮肉な事態です。その結果として、「エリート主義VS.ポピュリズム」という分断が生じています。米国に限らず、多くの先進国に共通する現象です。

## 「経済」を論じないエリート

「自由貿易こそ大事」と言う高学歴エリートの真の関心は、実は「経済」にはありません。「自由貿易」がもたらす世界市場の荒波から、彼ら自身は経済的に保護されていて不安がないからです。

その一方で、「LGBTに不寛容」で「排外主義的」な下層の人々を馬鹿にします。知的な優越感を抱きながら、人種問題やLGBTなどイデオロギーばかりを論じて、「自由貿易」こそが、格差を拡大し、社会を分断しているという〝現実〟を見ようとしないのです。

「経済」の問題は、対立や紛争があっても、本来、妥協も可能な合理的な領域です。それに対して、「人種」や「ジェンダー」は、妥協が困難で、果てしない対立を生みがちな不合理性を伴う領域です。「人種」や「ジェンダー」ばかりに固執するエリート層は、ほとんど病的なヒステリー状態に陥っています。

トランプ当選後の米国に、私は一つの期待を抱いていました。これでようやく米国のエリートも、自らを省《かえり》みて、米国社会の現実を直視するのではないか、と。ところが、全くそうではありませんでした。

トランプ当選後に、よりいっそう「自由貿易」という〝理念〟に固執したのは、経済界の人々以上に、大学やメディアのエリートでした。これは〝経済政策〟というより、一種の〝空虚な信仰〟です。『ニューヨークタイムズ』や『ワシントンポスト』、有名大学のエスタブリッシュメントにとって、目下の課題は、とにかくトランプを厄介払いすること。これが、彼らの唯一の〝存在意義〟になっています。彼らがまともな政策を持ち合わせていないこと、彼らの〝知的空虚さ〟の現れです。

## 「黒人差別」は米国の原点

現在、米国は、社会として安定に向かい、〝本来の原点〟に戻りつつあります。しかし、それに伴って、「黒人差別」が復活しつつあることも見落としてはなりません。もちろん良くないことですが、モラルの話は別にして、「黒人差別」が米国社会のある種の〝安定要素〟として機能してきた歴史があったのも事実です。
「米国の民主制」は、その始めから「人種感情」と結びついた「人種主義的民主制」でした。「黒人」や「先住民」の存在が、「（黒人や先住民ではない）白人の間での平等」を実現させてきたのです。

ここに言う「白人」の範囲は、徐々に拡大されていきました。最初は北ヨーロッパ出身の移民で、その後、しばらくの躊躇《ちゅうちょ》の後に、イタリア系やユダヤ系のような非キリスト教徒。第二次大戦後は、アジア系移民も「白人扱い」に格上げされました。レイシズム（人種差別）が、「黒人でも先住民でもない者たち」＝「白人」の社会統合を容易にしてきたのです。

こうして見ると、レイシズムは、「米国のデモクラシー（民主制）」に残存する〝不充分な点〟というより、むしろ、その〝基盤〟だということが分かります。ただ誤解していただきたくないのは、これは、黒人差別を肯定するための言辞ではなく、あくまで歴史家としての指摘だということです。

しかし、急いで付け加えれば、デモクラシーとは――その後、徐々に「普遍主義的」になる可能性を秘めているとはいえ――、元来「原始的」で「排外的」なものなのです。民主制の祖たる古代ギリシアのアテネにしても、「両親ともにアテネ人である者」にしか「市民」の資格はなく、外国人との婚姻も禁じられました。

ただトランプ自身は、実は、「白人／黒人」の二項対立という米国の伝統から外れています。メキシコ国境に壁を築こうとしているトランプが標的にしているのは、「黒人」ではなく「メキシコ人」だからです。トランプは、「アンチ自由貿易」「排外的（国境重視）」とは言えても、「レイシスト」とりわけ「アンチ黒人」とは言えないのです。

「人種」という概念に拘《こだわ》っているのは、むしろ民主党の方です。これによって、黒人有権者をある種の〝幻想〟のなかに閉じ込めています。

白人中間層と同様に、黒人マジョリティの経済的利害に合致するのは、「保護貿易」です。ところが、黒人有権者の八九％が民主党に投票している（二〇一六年大統領選のヒラリーの得票率）という現実があります。「自由貿易」と「メキシコからの移民」によって雇用を脅かされているにもかかわらず、黒人マジョリティは、なぜトランプではなく、みずからの階級利益に反して、民主党に投票するのでしょうか。

## 黒人を〝疎外〟する民主党

この点に関して、ミシェル・アレクサンダーの『新たな黒人隔離』（未邦訳）という優れた著作があります。この本で彼女は、黒人内部でも、「高学歴エリート層の黒人」と「中間層・下層の黒人」の間で著《いちじる》しい階層化が生じていて、「黒人」を同質的なものとして見るのは幻想にすぎない、と述べています。

「高学歴エリート層の黒人」は、アファーマティブ・アクション（積極的格差是正）の受益者で、民主党と深いつながりをもっています。彼らが、「自由貿易」と「国境開放」という民主党の政策を支持し、黒人の中間層、下層の人々は、自分たちの階級利益に反して、黒人エリートに従っているのです。黒人エリートに従うのは、黒人公民権運動以来の伝統でもあるのですが、「黒人問題」を重視する民主党によって、大部分の「黒人」は、実は経済的に〝疎外〟されているのです。

こうした〝疎外〟は、前回の大統領選でも顕著に見られました。民主党の予備選で、サンダースは、ヒラリーに敗れましたが、黒人の割合が多い州ほど、ヒラリーの得票が多かったのです。

これは、利益に反した投票行動です。ヒラリーの言う「自由貿易」より、サンダースの言う「保護貿易」の方が、黒人マジョリティの利害に合致するからです。

確かに、民主党は、一九六〇年代の公民権運動などでは、黒人の解放に大いに貢献しました。ところが、いまや「人種問題」を自分に都合のよい〝専売特許〟として弄んでいるように見えます。「経済」という真の問題から逃れるために、「黒人問題」を〝道具〟のように使っている。今日の文脈で「人種」ばかりに拘る民主党は、社会のエリートとして、倫理的に極めて重い責任を負っていると言わざるを得ません。

言い換えれば、民主党は、「人種問題」ばかりに固執することで、本来、必要な〝自己変革〟をせずに済ませようとしているのです。みずから変わろうとしないからこそ、当選すれば、七八歳という高齢での大統領就任となるようなバイデンを候補に立てる。「とにかく人種差別に反対」と繰り返すことが、民主党が変わらずに済ます〝口実〟になっています。

### 鍵を握るヒスパニック票

しかし、「人種問題」への執着によって、民主党は、かなり大きな政治的リスクを冒すことになります。

前回、勝敗を左右したのは、「ラストベルト地帯の白人労働者票」でしたが、今回、私が注目しているのは、「ヒスパニック票」です。カリフォルニア州やテキサス州などでは、有権者の三割を占めていて、彼らの票が勝敗を決する可能性があるからです。

米国社会におけるあり方として、「ヒスパニック」と「黒人」を同じような概念で捉えると、現実を見誤ることになります。

「黒人」とは対照的に、「ヒスパニック」は、米国社会への同化が比較的順調に進んでいます。異人種との混合婚率の上昇や出生率の低下が、それを示しています。当初、侮蔑され、疎《うと》んじられたアイルランド出身のカトリック教徒も、その後、徐々に米国社会に「白人」として統合されていったように、ヒスパニックに関しても、似た現象が起きているのです。

この点を考慮すると、現在の民主党のヒスパニック向けの戦略は、失敗に終わる可能性が高い。

黒人にとっては本当に耐えがたいことですが、米国社会の〝公理〟として、「黒人でない」ことが、幸福に生きるための一つの条件となっている現実があります。そこで、「我々はあなた方を保護します。我々にとって、あなた方は黒人と同じように保護すべき存在だからです」と呼びかけても、ヒスパニックの方は、共感するよりむしろ「黒人と一緒にされたくない」と反発し、かえって彼らを遠ざけてしまう可能性があるのです。米国のある新聞も、「ヒスパニックが、バイデンに投票するかどうかは、本当のところ分からない」と書いていました。

## 「米中対立」は悪くない

内部で激しい葛藤が生じている米国ですが、社会を一体化に向かわせる要素も生まれています。「米中対立」です。

トランプが、米国のリーダーとしての自己確立に成功したのは、「対中強硬姿勢」によってです。

まず地政学や安全保障分野のエリートを、この方向に巻き込むことに成功し、今では、「中国は、パートナーではなく、ライバルであり敵である」といった超党派のコンセンサスができ上っています。

倫理的な観点で肯定するわけではありませんが、ここでもまた「民主制」が元来「排外的」な性格を有するように、「彼ら（中国）」という存在が「我々（米国）」という集団を結束させ、一体感を生むメカニズムが働いているわけです。仮にトランプが負けることがあっても、この方向性に変わりはないでしょう。

中国に関しては、しばしば「強大な覇権国になるのでは」と恐れられていますが、教育水準や人口動態から見ても、中国が世界のリーダーになる可能性はゼロでしょう。

となると、これは、米国にとって極めて好都合です。なぜなら、中国はそう簡単にやっつけられない難敵ではある。しかし、長いスパンで見た場合、中国には全く勝ち目がない。米国にとって、いわば長い戦いになるわけですが、辛抱強くやれば絶対に負けない。そして、この緊張が、国内の結束を高める方向にも作用するからです。

また「米中対立」は、長期的に見れば、中国にとっても、悪いものではありません。これまでの中国の経済政策は、中国の指導層が立案したというより、「中国を〝世界の工場〟にして利益を上げる」という欧米主導の「自由貿易」「グローバリズム」の政策に従属したものにすぎなかったからです。その意味で、中国も〝グローバリズムの囚人〟なのです。「米中対立」が激しさを増せば、中国も「外需依存」から「内需重視」に転換せざるを得ません。これによって、中国の経済と社会も、健全な方向に向かうでしょう。

また「米中対立」が激しくなれば、両者の狭間で、日本は、時に難しい選択を迫られるかもしれません。しかし、両者の対立のなかで、むしろ日本の重要性は増すでしょう。

## 「エリート主義VS.ポピュリズム」の克服

米国に限らないことですが、〝高学歴エリートのおかしなあり方〟が、〝おかしなポピュリズム〟を生み出しています。トランプの人格や発言が耐えがたいのは明白です。しかし、同じように米国のエスタブリッシュメントの発言や振る舞いも耐えがたい。言ってみれば「トランプ」と「ハーバード大学」は、同じコインの表裏。重要なのは、このエリート主義とポピュリズムの不毛な対立関係から脱却することです。

〝反トランプの牙城〟であるシリコンバレーにあって、ペイパルの創業者で投資家のピーター・ティールは、高学歴エリートでありながら、トランプを支持するという異色の人物です。ゲイであることをカミングアウトしていますが、「ゲイがトランプ支持者であるはずがない。みずから『ゲイ』と言っているのはおそらく嘘だ」などと、ゲイコミュニティの雑誌で書かれてしまったのは、今日の言論界が、いかに硬直化しているかを示す一例でしょう。

その彼から、「ロサンゼルスに来ないか？」と誘われました。ただこのコロナ禍で実際に行くことは叶わず、二〇二〇年夏にＺｏｏｍで議論をしました。彼が最後に言ったのは、

「もしトランプが再選されたら、これは大きな転機になる。一度目の勝利は偶然かもしれない。けれど、二度目となれば、後戻りのできない時代の転機になるはずだ」と。私も全く同感です。

米国にとって重要なのは、「歴史を前に進めること」。これは、米国だけでなく世界にとっても重要です。

そのための最良の方法は、バイデンを当選させることではない。〝自己変革〟なき民主党の勝利は、「エリート主義VS.ポピュリズム」の克服に何ら貢献しないからです。

無理に私が米国人だったらと仮定すれば――実際はフランス人で、投票を迫られずほっとしているのですが――、おそらく「民主党左派」の立場から、民主党に〝自己変革〟を促すために、抵抗を覚えながらトランプへの投票を考えざるを得ない。民主党は、「黒人を擁護する」と言いながら、肝心の経済政策において「黒人マジョリティの利益」を代弁せず、実質的に「アンチ黒人」と化しているからです。

米国の歴史を前に進めるには、まず民主党の側に〝意識変革〟が必要です。そのためには、バイデン当選よりトランプ再選の方が望ましいと私は考えます。

**（通訳・取材協力＝堀茂樹）**

# 7　それでもトランプは歴史的大統領だった

トランプ政権の〝政策転換〟が今後三〇年の米国を方向づける

原　題　それでもトランプは歴史的大統領だった
初　出　『文藝春秋』二〇二一年一月号

## 「トランプ敗戦＝米国の民主主義が復活」ではない

私は選挙前に「それでも私はトランプ再選を望む」という見解を述べていましたが（本書第6章）、米国大統領選はバイデンの勝利に終わりました。この選挙結果は「米国の民主主義が復活したことの証しだ！」「自国ファーストから米国が世界に戻ってきた！」と、米国内だけでなく世界中で、概ね評価されています。「過去四年間のトランプ政権への不満や批判」がそう言わせているわけですが、私はむしろ「トランプこそ米国大統領として〝歴史に足跡を残す〟ことになるだろう」と見ています。

トランプは下品で馬鹿げた人物であり、私自身も人として、とても許容できません。しかし、今回再選を果たせなかったとはいえ、過去四年間にすでになされたトランプ政権による〝政策転換〟が、おそらく〝今後三〇年の米国のあり方〟を方向づけることになる。「保護主義」「孤立主義」「中国との対峙」「欧州からの離脱」というトランプが敷いた路線は、今後の米国にとって無視し得ないもの。その意味で〝トランプは歴史的な大統領〟である、と見ているわけです。

今回の大統領選挙を見ていて抱かざるを得なかった最大の疑問は、「勝利したとは言っても、結局のところ、バイデンとは何か？　民主党とは何か？」です。

バイデン陣営が最も前面に打ち出したのは「反（アンチ）トランプ」。しかし「反（アンチ）」のみで自らを定義するのは、あまりに〝空虚〟です。あるいはそもそも〝空虚〟だから「反（アンチ）」でしか自己を表現できないのです。

## 「反（アンチ）」でしか自己表現できない民主党

民主党が打ち出したもう一つのスローガンは「反（アンチ）コロナ」です。

もしコロナの流行が起きていなかったら、トランプが再選されていた可能性が高かったでしょう。というのも、トランプの経済政策の効果が現れ、コロナ前まで米国経済は非常に好調だったからです。

もちろん、コロナの感染拡大は無視してよいものではありません。かつて述べたように（本書第1章）、私は決して「厳格なロックダウン主義者」ではありませんが、トランプ政権のコロナ対応には問題もあったと思います。しかし「コロナ対応」それ自体は、本来の意味での「政治的選択」ではありません。大統領選挙で有権者に問うような〝政策〟ではないのです。

「反（アンチ）トランプ」と「反（アンチ）コロナ」。この二つのネガティブな形でしか自己定義できない民主党が空虚な〝政策〟として無理矢理ひねり出したのが、「人種問題」「黒人問題」です。それに対して実のある〝政策〟として「経済問題」を打ち出したのは、トランプの方です。本来の意味での〝政治〟は「人種」ではなく「経済」を問題にしなければなりません。ところが、それができないからこそ、民主党は「人種問題」に特化したのです。

## 民主党の人種主義

そもそも「人種問題」を〝政策〟として掲げることは、「人種」というものを〝本質化〟してしまう恐れがあります。「黒人」「白人」といった〝カテゴリー〟や「人種」という〝概念〟を絶対視すること自体がある種の〝人種主義〟に陥る危険があるわけです。いまの民主党には、まさにその傾向が見られます。

今回の投票行動の実態を摑《つか》むために、私は二種類の出口調査を用いました。それによると、ある種の「寡頭支配」が見えてきます。

大学院卒、博士号取得、名門大学卒といった「超高学歴層」と年収二〇万ドル（約二〇〇〇万円）以上の「富裕層」の多くがバイデンに投票しています。米国社会で権力を握る「超高学歴層と富裕層の連合体」がバイデン側についたわけです。

二〇一六年の大統領選と比べると、この時も「超高学歴層」はヒラリー・クリントンに投票していますが、「富裕層」の多くはトランプに投票しました。ところが今回、本来の傾向としては共和党支持であるはずの「富裕層」の票の多くがバイデンに流れました。

ちなみに、この「超高学歴層と富裕層による寡頭支配」の構成員は、大部分は白人ですが、少数ながら黒人も含まれ、とくに高学歴のアジア系も含まれています。

そして黒人――「黒人」と言っても、アファーマティブ・アクション（積極的格差是正）の恩恵を受けた一部の「高学歴で富裕層の黒人」と大部分の「低所得層の黒人」は本来分けて考えるべきですが――の八七％がバイデンに投票しています。

「黒人低所得層」にとって好ましいのは、本来、トランプの政策の方です。ところが「黒人低所得層」は、自らの「階層的利害」に反した投票をしてしまっている。「人種問題」を掲げる民主党によって彼らは〝疎外された〟と言わざるを得ません。

「鍵を握るだろう」と私が注目していた「ヒスパニック票」は、三分の二がバイデンに投票しています。ただし、前回より票を増やしたのはトランプの方で、やはりヒスパニック票が「激戦州の鍵」となり、テキサス州、フロリダ州でのトランプの勝利につながりました。とくにフロリダ州では、ヒスパニック系の大半がトランプに投票しています。

　トランプは、最高裁判事にエイミー・バレットを指名しましたが、この点は〝戦術ミス〟と言えるでしょう。候補に挙がっていたヒスパニック系のバーバラ・ラゴアを指名していたら、ヒスパニック系の票はさらに伸びたはずです。

　いずれにせよ、「人種問題」に特化した民主党は、「当然、ヒスパニック系は自分たちに投票する」と思い込んでいたのですが、そうではなかったのです。

### 争点が「経済」から「人種」に

　さらに投票行動の実態を詳しく見ていくと、「二つの党の対立」というよりも「二つの社会ビジョンの対立」という深刻な〝分断〟が生じていることが分かります。

「投票にあたってどの問題を最も重視したか」という調査（CNN）によると、それぞれ「人種的不平等＝二〇％」「コロナ＝一七％」「経済＝三五％」「犯罪と治安＝一一％」「医療政策＝一一％」となっています。

　そして「人種的不平等」を重視した有権者の九二％がバイデンに、七％がトランプに投票しています。

「コロナ」を重視した有権者の八一％がバイデンに、一五％がトランプに投票しています。

「経済」を重視した有権者の一七％がバイデンに、八三％がトランプに投票しています。

「犯罪と治安」を重視した有権者の二七％がバイデンに、七一％がトランプに投票しています。

「医療政策」を重視した有権者の六二％がバイデンに、三七％がトランプに投票しています。


つまり、「人種的不平等」「コロナ」「医療政策」を重視した有権者がバイデンに投票し、「経済」「犯罪と治安」を重視した有権者がトランプに投票しています。「どちらの党の政策がよいか」という以前に「そもそも何を問題とするか」というレベルで、これほど深い亀裂が生じているのです。

二〇一六年の選挙では〝争点〟として「経済」が優位を占め、これがトランプの勝利につながりました。これに対して今回は、民主党が「人種問題」を意図的に〝争点〟にすることで、結果的にバイデンが勝利したことが分かります。

しかし、選挙の〝争点〟が「経済」から「人種問題」にすり替わっては、社会の分断がますます深刻化するだけです。というのも、「経済」の問題は、対立や紛争があっても、本来、妥協も可能な「合理的な領域」であるのに対して、「人種」や「ジェンダー」は、妥協が困難で、果てしない対立を生みがちな、いわば「不合理性を伴う領域」だからです。

## 〝賢い〟トランプ主義

ただここで、敢えて楽観的なシナリオを考えてみましょう。

それは、「民主党のバイデン政権が、トランプの政策を引き継ぐ」というシナリオです。いわば〝賢い〟トランプ主義。「保護主義」「国内産業力の重視」「国境管理の重視」という、トランプが「野蛮な言葉」で唱えていた政策を民主党が引き継いで「より洗練された言葉」で国民に訴える。そうなれば、トランプ政権以上に、摩擦も少なく政策を効率的に実行できるでしょう。

とくに「経済」は、今後四年間、民主党が政権の座を守るには、避けては通れない重要課題です。バイデンも「インフラ重視」を口にはしているので、これを本当に実行していけば、「国内産業力の重視」につながり、米国の経済と社会は健全な方向に向かうでしょう。

ところが、やはり懸念はぬぐえません。「超高学歴層と富裕層による寡頭支配」が存在しているからです。有名大学の経済学者、『ニューヨークタイムズ』や『ワシントンポスト』などの高級メディアのジャーナリスト、東西沿岸部のエスタブリッシュメントの大多数が〝国家による経済政策〟というより〝空虚な信仰〟でしかない「自由貿易」を相も変わらず〝護持〟しているからです。

彼ら〝エリート〟のあり方を見ていると、民主党が望ましい方向転換を本当になし得るのか、懐疑的にならざるを得ません。「万国の金持ちたちよ、団結せよ！」と、「国内の分断」を放置したまま「グローバリズム」に舞い戻ってしまう恐れがある。

## さまざまな次元の「中国問題」

とはいえ「米国内の再統合」に向かわせる要素もあります。「中国との対峙」です。トランプの最も偉大なレガシーも、この「中国との対峙」を後戻りできない形で〝ドラマ化〟した点にこそあると言えるでしょう。実際、「中国に対しては弱腰であってはならず、厳しく対峙しなければならない」という点については、すでに民主党、共和党の垣根を越えた超党派の合意がほぼできています。

事実、中国は世界にとって〝大きな問題〟となっており、この状態はおそらく今後、数十年にわたって続くでしょう。

ただ誤解していただきたくないのは、これは「反中感情」や「イデオロギー」の観点から、その良し悪しを言っているのではなく、人類学者として単に〝事実〟を指摘しているだけだ、ということです。

「中国問題」は、いくつかの次元に分けて見る必要があります。

第一は、「経済レベルでの中国問題」です。

中国が〝世界の工場〟となり、欧米の多国籍企業が法外な利潤を得る一方で、先進各国で「産業空洞化」「賃金低下」「雇用喪失」「格差拡大」が生じ、この流れが行き過ぎました。これが「自由貿易」「グローバリゼーション」という美名の下になされてきたことの実態だったのです。この実態を「中国による死」（ピーター・ナヴァロの著書名）と見抜いたのが〝トランプの慧眼《けいがん》〟と言うべきところで、二〇一六年の大統領選でのトランプの勝利につながりました。

第二は、「世界的な地政学のレベルでの中国問題」です。

これは、「巨大な人口」を有する中国が「経済力」や「軍事力」をも増強し、「米国の覇権」を脅かす〝ライバル〟として台頭しつつある、という問題です。ただ一言加えると、この点は、中国から地理的に遠い欧州諸国にとっては、それほど切迫した問題ではありません。

第三は、「政治体制としての中国問題」です。

かつては、「経済発展」によって、また「自由貿易」「グローバリズム」の下で「中国経済が世界経済に組み込まれる」ことによって、中国の政治体制は「民主化」「自由化」に向かう、と考えられていましたが、実際はそうなりませんでした。むしろ中国は〝新しいタイプの全体主義国〟として世界に脅威を与えるようになっています。「一党独裁」「監視国家」「警察国家」という中国の政治体制は、香港問題を始めとして、「自由主義体制」を基盤とする国にとっては脅威です。これは欧州諸国も共有している問題です。

第四は、「東アジア周辺諸国にとっての中国問題」です。

中国の〝膨張〟は、日本、韓国、ベトナム、東南アジア諸国にとって、直接の脅威となっています。その上で私がここでとくに強調して付け加えたいのは「ロシアにとっての中国の脅威」という問題です。

## 中露を接近させている愚かな米国

ロシアは広大な領土を持ちながら、人口は日本とほぼ同程度でしかありません。ですから、巨大な人口を有する中国は潜在的な脅威で、しかも具合が悪いことに、中国との国境付近は、人口過疎地帯になっています。

本来であれば、「中国との対峙」において、米国はロシアと協力する余地がたっぷりある。ところが、米国が愚かにも「ロシア敵対政策」を続けているために――この点、民主党の方が対露強硬派なのが気がかりです――、このチャンスを逃し、むしろ「中露接近」を促しているわけです。〝致命的な戦略ミス〟と言わざるを得ません。

その結果、ロシアは、世界で唯一保有する最新鋭の「地対空ミサイルシステム」を、潜在的には最も脅威で、しかも隣国である中国に売らざるを得ないようなジレンマに立たされています。

このようにさまざまな次元で中国が〝世界の問題〟になっているなかで、皮肉にも「中国発のコロナウイルス」が「中国の力」を世界に見せつけることになりました。

まず「全体主義システム」がウイルスの押さえ込みに効果を発揮しました。「自由主義体制」の欧米諸国の感染状況と比較すれば、そう言わざるを得ません。

同時に、中国の「産業力」も世界に示されました。たとえば、国内の産業基盤を失っていた欧州諸国は、マスクを始めとする医療品、医薬品を「中国からの輸入」に頼らざるを得ませんでした。

要するに、「自由主義体制」であるほど、ウイルスに対して脆弱で、むしろ中国の「全体主義体制」の方が人々に〝安全〟と〝安心〟を与えるかのようにも見える状況が生まれたのです。これは、世界大恐慌の後の「一九三〇年代の世界」を彷彿とさせます。この時代も、ナチスの全体主義とソ連の全体主義が存在し、「自由主義体制は弱く、全体主義体制の方が強靭で効率もよい」と言われていたからです。

## 「中国封じ込め」戦略

ですから〝コロナ後〟の今日において〝新しいタイプの全体主義国〟として世界に〝脅威〟を与える中国に対して、世界が連携して、これに対抗する必要があります。冷戦期の「ソ連封じ込め」のような「中国封じ込め」です。とくに米国、英国、カナダ、オーストラリア、ニュージーランドという「英語圏」と「中国」の対抗関係が中心となり、このライバル関係が〝今後の世界の新たな形〟をつくっていくことになるでしょう。

と言っても、繰り返しますが、これは人類学者として〝事実〟を指摘しているだけです。中国の家族構造は「外婚制共同体家族」（親子関係は権威主義的で兄弟関係は平等主義的）で、中国社会は初めから潜在的に「全体主義的な傾向」を秘めており、良し悪しの問題以前に、この点は、「英語圏」を中心とする「自由主義社会」とは相容れないのです。

その上で、世界の〝平和〟や〝安定〟をどう維持するか。ですから、中国に対して譲歩ばかりの弱腰で良いわけではありません。かと言って、攻撃一辺倒である必要もない。ただし、相容れない点がある以上、大国化していく中国には、忍耐強く対峙するしかないわけです。

私はかつて、「中国は世界の覇権を握るような大国にはならない。非常に不安定で問題の多い国だ。『幻想の中国』と『現実の中国』を分けなければならない」（「幻想の大国を恐れるな」『文藝春秋』二〇一五年一〇月号）と述べました。基本的には、この見解を変えるつもりはありません。

そもそも「全体主義体制」の国が最終的に世界の覇権を握ることはあり得ない。一時的に効率よく機能したとしても、必ずある時点で立ち行かなくなる。やはり、人類の歴史は〝人間の自由〟を重んじる社会や国の方が最終的には優位に立つ、と私は考えます。

また中国は、とくに人口動態上、深刻な脆弱性を抱えています。国連の推計にもとづいて二〇五〇年、二一〇〇年の中国の人口推移を見ると、「全人口」が減少に転じるのは、二〇五〇年より後ですが、「一五～三九歳の人口」は二〇二〇～二〇五〇年の間に減少に転じます。この間に少子高齢化が急速に進む、ということです。

## 破格の人口規模による影響

とはいえ〝中国の力〟をどう見るかについて、従来の考えに若干変更を加える必要を感じています。

中国国内の〝不均衡〟とは、「教育水準の低さ」「急速な少子高齢化」「外需依存の歪《いびつ》な経済構造」などですが、私が過小評価していたのは、その破格の人口規模がもたらす影響です。

たとえば米国の大学進学率は三五％で、中国は一五％だとします。人口はそれぞれ三億人と一四億人なので、大学進学者の絶対数は、米国の「約一億人」に対して中国は二倍の「約二億人」です。これは相当な〝勢力〟となり得ます。

「自国の得意とする生産に特化して生産効率を上げる」という「比較優位」の貿易理論が

ありますが、仏経済学者のパトリック・アルトゥスは、「この理論は中国には適合しない」と述べています。その人口規模ゆえに「何にでも特化できる」からです。

　となると、中国は、内的矛盾を抱えたまま、いわば「国内人口の半分を置き去り」にしたまま、その人口規模ゆえに経済発展を続けて、少なくとも「地球の重心の一つ」になる可能性があります。こうなると「中国封じ込め」も〝長期戦〟を覚悟しなければなりません。ソ連との冷戦以上に長く続くかもしれない。

　ここで、もしバイデンや『ニューヨークタイムズ』や『ワシントンポスト』のジャーナリストたちが、〝賢い人間〟だったらどうするか。「『中国との対峙』こそ最優先の課題」と認識した上で、現在、敵対しているロシアとイランと和解して「中国封じ込め」のために連携を図るでしょう。ただ残念ながら、彼らはそこまで〝賢い人間〟には思えません。

　ところで、ズケズケ物を言う中国人は、ドイツ人と同様に概ねユーモアのセンスが欠けているように見えます。そしてEU自体が「ドイツ帝国化」し、中国も「帝国化」し、〝世界の脅威〟になりつつあります。一方、日本人にはユーモアのセンスがある。ですから、いま必要なのは「ユーモアのセンスのある国同士の連合」なのだと思います（笑）。

**（通訳・取材協力＝堀茂樹）**

# Ⅲ　「ドイツ帝国」と化したＥＵ

# 8　ユーロが欧州のデモクラシーを破壊する

ユーロ創設は仏政治家が犯した史上最悪の失敗だ

原　題　通貨ユーロがヨーロッパを滅ぼす
初　出　『文藝春秋』二〇一八年一月号

## 「親ＥＵ vs.反ＥＵ」の対立構図の変化

スペインからの分離独立を目指すカタルーニャの問題は、ヨーロッパの単なる一地方の問題ではありません。興味深いのは、ヨーロッパ主義者（ＥＵ統合推進派）と反ヨーロッパ主義者（ＥＵ統合懐疑派）の対立の構図が変化していることが、この問題を通じて見えてくることです。

まずヨーロッパ主義者の地域主義に対する態度が変化しています。従来、ＥＵ統合に賛成する人ほど、地域主義に好意的でした。逆に、ＥＵ統合に反対あるいは慎重な人ほど、地域主義に批判的でした。ＥＵ統合は上から国民国家を脅かし、地域主義は下から国民国家をつき崩すものだからです。

ところが今回、ＥＵ統合派であるほど、カタルーニャの分離独立の動きに批判的で、ＥＵ統合懐疑派の方が寛容的、好意的態度を採っています。

私自身について言えば、ＥＵ統合派ではなく国家重視派ですから、本来、カタルーニャの分離独立の動きには批判的であるはずなのに、自分自身の中にカタルーニャの分離独立運動の高まりに対するシンパシーが次第に高まっているのを感じます。逆にＥＵ統合派は、本来、スペインよりもカタルーニャにシンパシーを感じるはずですが、徐々にそうではなくなってきています。

## 〝牢獄〟のようなEU

なぜこうした変化が生じているのか。私の考えでは、それは、EUがもはや緩やかな国家連合ではなく、国家から主権を奪い、それ自体が中央集権化したからです。そこで、「反国家」のニュアンスを帯びるはずの地域主義が、「反EU」の意味を持ち始めたのです。

単一通貨ユーロや画一的な政策、緊縮財政を各国に中央集権的に課すEUは、それ自体が非常に強力なヒエラルキー構造を持つ政治空間、いわば〝牢獄〟のような存在になってしまいました。そうしたなかで、カタルーニャのような動きは、EU統合派から見れば、一種の「不服従」という意味合いを持ちます。逆にEU統合反対派から見れば、「理のある抵抗」となります。だから、私のシンパシーを誘うのでしょう。

カタルーニャは、スペインのなかでもとくに豊かな地域で、強い産業力を有しています。こうした地域が貧しい地域を置き去りにして独立しようという動きは、これまでなら、豊かなイタリア北部のケースのように、「金持ちの地域のエゴイズム」と批判されてきました。

ところが今日、スペインの首都マドリードは、ＥＵの中枢であるブリュッセルの指令に忠実なだけの経済政策――通貨ユーロの価値の維持と緊縮政策――を行っていて、国家としてのスペインに必要な経済政策を放棄しています。スペインは、もはや「ＥＵの一地方」でしかなく、「主権国家」として存在していないのです。そうであれば、カタルーニャの人々が、スペインに自己同一化する必要も魅力も感じないのは当然です。

しかもカタルーニャは、スペインのなかでも独自の歴史をもつ地域です。私の専門である家族システムの面から言うと、カタルーニャは、日本と同じ直系家族（長子相続）の地域です。かつてカタルーニャの民族学者と交わした会話を思い出します。「マドリードの言葉であれ、バルセロナの言葉であれ、フランス語であれ、大体根っこは同じようなものですね」と私は言いました。カタルーニャ語は、フランス語とも近いので、シンパシーを感じてそう言ったのですが、「そんなことはない！　自分たちは独特なんだ！」と物凄い剣幕で反論されました。

日本も同様ですが、直系家族の地域は、「自分たちの文化は特殊で他とは違う」というタイプの自民族中心主義の傾向が強いのです。

政治的には、カタルーニャは、中世末期以来、代表制——当初は寡頭的で、後により民主的な——の政治システムを伝統的に保持してきました。それに対して、スペインは、ヨーロッパの絶対王政のまさに揺籃《ようらん》の地です。この権力集中の政治システムが、一六、一七世紀の大航海時代を生み出しました。

その意味で、カタルーニャの方が、歴史的により自由な政治体制を培ってきたのです。スペイン内戦でも、カタルーニャは、独裁的なフランコ将軍と戦った人民戦線の拠点となりました。私のように長いスパンで歴史を見る者の目からすれば、今日のようなカタルーニャの動きは、まったく自然なものです。

カタルーニャは、ヨーロッパのなかでも指折りの文化の中心地で、州都バルセロナは、夢を見させてくれるような街です。都市として活気があり、建築も街並みも面白い。料理も、マドリードのスペイン料理よりはるかに美味しい。小さい地域ながらも、ヨーロッパ文化の中核の一つを成しています。それだけに、カタルーニャで起きていることは、ヨーロッパにとって重大なのです。

さらに言えば、カタルーニャの人々は、繊細、緻密で、単純素朴ではありません。今回、カタルーニャ州の首相をはじめ、分離独立のリーダーたちは、ブリュッセルに、いわば

〝亡命〟しました。これについてヨーロッパ主義者は、「卑怯だ」「意味がない」などと批判しましたが、カタルーニャの指導者たちの方が一枚上手です。巧妙にも、ブリュッセルというEUの中心に混乱を持ち込んだのですから。

現在のヨーロッパは、痙攣《けいれん》を起こしている状態にあります。英国がEUから逃げ出し、カタルーニャもユーロ圏の一地方でしかなくなったスペインから逃げ出そうとしている。つまり、EUへの反抗が拡がっている。だからこそ、EU統合派も、かつてなら味方をしただろうカタルーニャの分離独立運動に恐れをなし、高圧的に批判するのです。

## 欧州はユーロとともに死滅しつつある

諸悪の根源は、通貨ユーロです。現在のヨーロッパの問題は、すべてユーロに起因していると言っても過言ではない。ヨーロッパは、今、ユーロとともに死滅しつつあります。

ユーロは、一九九九年に決済用仮想通貨として、二〇〇二年に現金通貨として導入されましたが、もともと一九九一年のマーストリヒト条約での「単一通貨を遅くとも一九九九年までに導入する」という合意に基づくものでした。

この条約は、一九九二年にフランスでも国民投票で僅差（賛成五一％）で批准されましたが、私は反対票を投じました。私自身の人類学的・歴史学的知見から、単一通貨構想は、あまりに経済至上主義的で、あまりに現実無視の企てに見えたからです。ユーロは、ヨーロッパの歴史や現実の生活を知らない〝傲慢な無知の産物〟〝机上の空論〟です。政治的選択という以前に、ヨーロッパの歴史と現実の厚みを知る学者として、反対せざるを得ませんでした。

一九九六年に拙著『新ヨーロッパ大全』（藤原書店）がフランスで文庫化された際、私は序文に「もし今後、通貨ユーロが万が一にも実現してしまうようなことがあれば、この本は、二〇年後に、集団意識が存在しないなかで強引に進められた国家統合が、なにゆえに『社会』ではなく『無法地帯』しか生み出さなかったかを人々に理解させるだろう」と記しました。「ユーロは必ず失敗する」と、歴史家として、導入以前から断言していたのです。

遠い日本から見れば、ヨーロッパは一枚岩に見えるかもしれませんが、家族形態、言語、宗教、文化などは地域ごとに相当異なります。これほど多様な社会に単一通貨を導入しても、絶対に機能しません。マーストリヒト条約の間違いの元は、その「貨幣信仰」にあります。

EUのエリートたちは、単一通貨によってEU諸国の統合を加速しようとしたのです。これは、一〇〇〇年にもわたるヨーロッパ史のなかで培われてきたそれぞれの共同体を単一通貨によって数年のうちに融合してしまおう、という急進的なユートピア的夢想です。貨幣そのものに「世界を変える力」まで与えるという無謀な試みなのです。ところが、一九八〇年代半ば以降、EUのエリートに拡がった「アンチ国家」の安易な風潮が「単一通貨ユートピア」を生み出してしまいました。

たとえば、当時、フランス銀行通貨政策諮問委員だったジャン・ボワソナは、こう述べていました。

「技術的な問題を越えて、ヨーロッパ単一通貨の創設には、もっと深い意味がある。それは共通の言語作用の誕生である。ヨーロッパ人は、同一の言語を話すようになりはしない。固有の文化も維持するだろう。それはよいことだ。しかし、ヨーロッパ人には共通の言語作用が必要だ。貨幣は、経済秩序における普遍的言語作用となる使命を帯びている」

しかし、それぞれの国民経済は、通貨管理に関して独自の必要を抱えています。各国は、独自の金融政策、通貨政策をもち、インフレ率をコントロールして失業率を改善するなど自国経済を善導しなければなりません。また「独自の通貨政策」に「独自の財政政策」が伴わねばならない。

ユーロの根本的な欠陥は、各国が、経済上、人口動態上、多様化しているまさにその時に、通貨による強引な統合を強制したことにあります。

## 「産業」や「雇用」より「単一通貨」を死守

では、単一通貨ユーロを無理に導入した結果、何が起きたか。

ユーロ圏には、産業力の強い国もあれば、弱い国もあります。ユーロ導入以前には、弱い国は、自国通貨の価値を下げることで競争力を得て、生き延びることができました。しかし、ユーロ導入によって、それが不可能になったのです。

ユーロ圏で産業力が強いのは、ドイツです。ユーロ導入によって、そのドイツが、フランス、イタリア、スペインの産業を破壊しました。その結果起きたのは、ドイツ以外の各国の産業破壊と失業率上昇です。

ヨーロッパの各国政府が、どんな犠牲を払ってでもユーロの安定を維持しようとした結果、ヨーロッパ経済はマヒ状態に陥りました。自国の「産業」や「雇用」を犠牲にしてまで「単一通貨」を優先するという愚かな政策を取り続けているからです。

ユーロ考案者は、単一通貨によってヨーロッパに平和で平等な世界が生まれると夢想しましたが、むしろ「弱肉強食の世界」が生まれたのです。

## ユーロで独り勝ちしたドイツ

ユーロ推進派がとくに愚かだったのは、ユーロ導入によって、ヨーロッパの域内・隣国同士の間でこそ熾《し》烈《れつ》な経済競争が生じることを予測できなかったことです。ドイツが競争力において優位に立ったのは、中国に対してではなく、ユーロ圏内の他国に対してでした。その結果、ユーロ圏は、ドイツの輸出だけが一方的に増大する空間となりました。ドイツが最大の貿易黒字を引き出しているのは、ユーロ圏外ではなく、ユーロ圏内からです。ヨーロッパ経済の第一の問題は、よく言われるような「財政赤字」ではなく、ユーロ圏内部の「貿易の不均衡」なのです。しかし、主流派の経済学者は、こうした問題を語ろうともしません。

　ドイツ経済界のトップは、「ユーロの死」が彼らの天下を脅かすことを理解しています。ユーロがなくなれば、フランスやイタリアやスペインが自国通貨の価値の引き下げに踏み切る可能性を再び手に入れるからです。

日本の読者に、ヨーロッパで起きていることを具体的にイメージしてもらうために、たとえば、アジアで、日本、中国、韓国、台湾、インドネシア、フィリピンなどが「アジオ」という単一通貨を導入した場合のことを考えてみましょう。

これらの国の間には、ヨーロッパの諸国間よりも、いっそう大きな格差がありますから、たちまちのうちに、産業力の強い国が弱い国を支配するでしょう。まず最初に起こるのは、台湾の産業の崩壊です。そして弱い国の産業が次々に破壊されていくでしょう。弱い国にとっては、ひとたまりもありません。

「ユーロはうまくいくはずだ」と思う日本人がいるとすれば、それは「日本と中国が単一通貨をつくればうまくいく」と考えるのと同じです。

私はもともとは「ヨーロッパ主義者」です。文化的な面では私はヨーロッパに強い情熱を抱いています。ところが、戦後、平和をもたらすために必要で、かつ正統な理想でもあった「ヨーロッパ統合」というプロジェクトは、徐々にヨーロッパの人々の相互の敵対感情を生み出すものに変質しました。極右やポピュリズムは、通貨統合の産物です。単一通貨によって、人々の精神までも不安定になっているのです。

ところが、「ユーロ以外にオルタナティブはない」「この道しかない」と吹聴《ふいちょう》されています。まさに「ユーロ全体主義」です。「栄光の三〇年」と言われる戦後の経済成長の時期には、貨幣は、あくまで人間と社会に仕えるためにつくられた「道具」にすぎなかったのに、今日、ヨーロッパでは、ユーロという通貨が「宗教」となり、「神」となっているのです。

## 実は高齢者に支えられたマクロン仏大統領

二〇一七年のフランス大統領選では、社会党や共和党という既成政党と距離を取り、若さを売りにして政治に新風を吹き込むと期待されたマクロン（三九歳）が勝利しましたが、メディアでの盛り上がりに反して、マクロンは、見かけ倒しの人物です。

マクロンの政策は、サルコジ、オランドとあまり変わりません。緊縮財政は従来の政策の継続です。労働市場の流動化をさらに進めようとし、より過激になっているだけで、さほどのオリジナリティはない。

マクロンの特徴をあえて挙げるとすれば、彼が若いことでしょう。興味深いのは、フランスでも他国でも、高齢の有権者ほど、若い政治家に魅惑されています。逆に若者は、フランスのメランション（六六歳）や米国のサンダース（七六歳）や英国労働党のコービン

（六八歳）のような高齢の政治家に喝采を送っています。ですから、若さを売りにしているマクロンも、実は、高齢の有権者の意向を反映しているのです。

マクロンは、独仏連携によるＥＵの再建を訴えていますが、これは、通貨ユーロがあるかぎり、フランスがドイツに服従するだけの話です。たとえば、フランスの産業のトップの一つであるアルストムというＴＧＶを製造する鉄道車両製造会社がドイツのシーメンスに買収されました。マクロンはこの買収を認めました〔その後、欧州委員会が却下〕。これは、新幹線を製造する日本の会社が中国に買収されるような話です。

フランスを実質的に治めているのは、フランスの大統領ではありません。ユーロあるいはドイツ政府がフランスを治めている。

フランスの大統領は、大統領の行政権が強い第五共和政の下で、制度的にはヨーロッパで最も大きな権力を与えられているはずなのに、今のフランスは、ユーロ圏に属していて、「通貨主権」を持っていません。そのため大統領のマクロンも、米国の州知事のような存在で、「ユーロ＝マルク圏」の一州知事でしかない。私は「マクロン知事」と呼んでいます。「通貨主権」を持っていないというのは致命的で、「国として独立していない」ということです。ユーロ圏にとどまっているかぎり、マクロンが、いくら「ドイツと本格的に交渉する」と喚《わめ》いても、すべては冗談でしかない。

フランスのＥＵ離脱を「フレグジット」と称する言い方が出て来てはいますが、今のところ、現実化の見込みはありません。フランスのどの政治勢力も、「ユーロの存続可能性」という問題すら本気で提起していないからです。

ユーロは、主にフランスの政治家たちが中心となって考案したものですが、ユーロ創設は、「フランスの政治家が犯した史上最悪の失敗」と言えます。

## 英語圏VS.「ドイツ帝国」としてのＥＵ

英国のＥＵ離脱に関しては、「ＥＵ離脱に投票して後悔している人がいる」とか「ＥＵとの交渉がうまくいっていない」として、これを否定的に論じる報道が世界中で一般的です。しかし、この見方は浅薄です。

英国との交渉において、ＥＵは強硬姿勢を取っていて、ＥＵ離脱の代償としてかなり厳しい条件を英国に課そうとしています。

私の目には、これは、現代的な形態をとった権力闘争、もっと直截《ちょくせつ》に言えば、一種の戦争に見えます。

英国のEU離脱をめぐる対立は、一般に思われている以上に重大な意味を持っています。英国の背後には、米国、カナダ、オーストラリア、ニュージーランドなどの英語圏が控えています。つまり、「ドイツを中心とするEU」と「英語圏」との対決が生じようとしているのです。

EU側は、「英国には力はない」と英国を過小評価していますが、英国を侮ってはいけません。議会制民主主義の発祥の地で、国内に対立があり、議論がある。そのため、決断に時間がかかります。戦争を始めるのも簡単ではない。しかし、いったん決断をして、戦争を始めれば、負けたことがない。占領されたことも一度もありません。英国は、世界でも稀な「不敗の国」なのです。さらに英国の背後には、米国を始めとする英語圏の諸国が存在します。この英語圏の諸国の人口は、すでにEU諸国の人口を上回っています。

戦争とは、一方が自分の力を過信する時に起こるものです。今はEUの側が実力以上に自分を強いと思い込んでいる。もし本当に戦いになれば、英国人は本気で戦い、かつてナポレオンを打ち破ったように、ヨーロッパを打ち破るでしょう。

私自身は、一九九〇年代末にプラグマティックな保護貿易を提唱する『経済幻想』（藤原書店）を出しましたが、英国のEU離脱とトランプ政権の誕生によって、ついに自由貿易とグローバリゼーションを主導してきた英米自体が保護貿易の方へ転換しました。

そうである以上、もはや「自由貿易か、保護貿易か」という議論は、さほど意味を持たなくなるでしょう。英米以外の国は、近代においてあらゆる変化を先導してきた英米について行く以外にない。むしろ、「極端な保護主義か、リーズナブルで賢い保護主義か」ということこそ問題になる。

それでも、たとえばフランスのエリートが自由貿易に固執するなら、いわば自殺を選ぶようなものです。「自殺はしない方がいいよ」と私は言いたいですが、それでも自殺をしたいなら仕方がない。

しかし、フランスに希望があるとすれば、フランスの社会文化で生きる人々は、真面目すぎるドイツ文化に浸っている人々と違って、良い意味でも悪い意味でも「テキトー」「いい加減」であることです。

たとえば「私はシャルリ」デモを批判的に分析した『シャルリとは誰か？』（文春新書）を刊行した際、私はフランスのメディアで「社会の敵ナンバーワン」のような扱いを受けました。ところが、そのわずか二年後、ホモサピエンスの誕生からトランプ政権の誕生までの全人類史を主に「家族」という視点から分析した『我々はどこから来て、今どこにいるのか？――人類史素描』（文藝春秋より近刊）を出したところ、前著以上にヨーロッパの現状に厳しい判断を下しているにもかかわらず、全面肯定と言っても過言ではないほど好意的に受け入れられました。ずいぶんな変わりようです。

現在は、ＥＵ離脱やユーロ離脱を唱える勢力は強くありませんが、そう主張し始めている人も皆無ではない。マクロンも急激に支持率を下げていますし、一年後にどうなっているかは分かりません。かつてのソビエト崩壊のように、「ユーロ信仰」も、一挙に崩壊する可能性があります。

## ポピュリズムを克服する方法

あまり注目されていませんが、無視できない重要な出来事の一つは、二〇一七年のドイツの総選挙で、極右のＡｆＤ（ドイツのための選択肢）が、前回の四・七％から一二・六％へと得票を伸ばしたことです。あのような過去を持っているドイツで、これだけ極右が台頭してきたことは、やはり脅威であり、重大な意味を持っていると考えざるを得ません。

ドイツでの極右台頭は、英国のＥＵ離脱、カタルーニャの分離独立の動きと共に、これまで夢見られてきた「ヨーロッパ」の死を示しています。

他方、二〇一七年の英国の総選挙では、右翼政党のＵＫＩＰ（英国独立党）は一議席も獲得できませんでした。これは、ＥＵ離脱という形で英国のエリートが民衆の声を吸い上げた結果、ポピュリズム政党が不要になったことを意味しています。

仮に日本でも「アジオ」という単一通貨を導入するようなことになれば、ポピュリズム政党が出てくるでしょう。

今日のメディアでは、ポピュリズムの脅威が盛んに強調されていますが、ポピュリズムを安易に否定しても無意味です。ポピュリズムは、エリートが民衆の声に耳を傾けるのを拒否し、国民を保護する国家という枠組みを肯定的に引き受けない時に台頭してくるものだからです。逆に言えば、ポピュリズムは、エリートが民衆の声を受けとめさえすれば、自ずと消滅するものなのです。

（翻訳＝堀茂樹）

# 9　トッドが読む、ピケティ『21世紀の資本』

貧しい人々には、「資本の相続人」よりも、
「学歴があるだけのバカ」の方が有害かもしれない

原題　トマ・ピケティ　鮮やかな「歴史家」の誕生
初出　『文藝春秋ＳＰＥＣＩＡＬ』二〇一四年秋号／
『マリアンヌ』二〇一三年九月一四日

## 「格差拡大の現状」を理解するための二〇〇年史

政治家は無能だが、我らがフランスには研究者がいる。政府が経済にはたらきかけるのを諦め、気休めに治安問題に取り組んでいるとき、世界の経済と社会の変化を解き明かす根本的な書物が、フランスに現れた。オランド大統領は私たちをマスコミ報道の喧噪の最中に置き去りにし、さまよわせるだけだが、トマ・ピケティは『21世紀の資本』（みすず書房）によって、私たちが今、どんな時代を生きているのかを教えてくれる。

経済の停滞、格差の拡大、一部の階層による支配の拡張……。私たちは世界の崩壊を感じている。今、起きていることを理解するためには、現状を戦後の幸福な一時代、つまり一九四五年から一九七五年の「栄光の三〇年」と比較するだけでは不十分であり、少なくとも一八世紀末まで遡って考えなければならない。そのことをピケティは明らかにした。一九四五年から一九八〇年は、人類の、特にヨーロッパの歴史において小休止にすぎなかったからである。私たちが生きているのは、そして闘わなければならない相手は、未知の新しい時代ではない。富の偏在という歴史のいつもの姿の再来である。

ピケティは純然たる経済学者であり、所得格差の専門家だった。フランスの高等師範学校（エコール・ノルマル）を卒業し、米国のマサチューセッツ工科大学（ＭＩＴ）で教え、パリ経済学院の創設者の一人となり、最初の研究主任となった。

その後、フランス及び世界の上位一％の富裕層の変わりゆく、しかし中心的な役割を明らかにした論文を発表した。ジョセフ・スティグリッツが最新の著作の中でピケティに（そして全世界を対象とする比較研究の共同参画者であるエマニュエル・サエズとアンソニー・アトキンソンに）敬意を表しているのは、その業績に対してである。

そして、ピケティは一〇〇〇ページ近い『21世紀の資本』によって、資本の集中化、労働の地位、それらから生じる所得格差についての歴史と理論を提示した。

舗石のような本で、その厚さと重さに腰が引けるが、一度ページを捲《めく》れば、心地よい驚きが訪れる。非常に読みやすい。しかも、そこにはピケティの文体がある。公平で、簡潔で、教育的で、柔らかく、体系的で、正確で、腰が据わっていて、皮肉たっぷりで、容赦ない。米国の考え方はピケティを苦笑させ、私たちを笑わせる。

米国の経済学者が格差を問題にしないのはなぜか？　答え――彼らが上位一％の給料をもらっているから。でも、決して上位〇・一％にはなれない。彼らはより上位の富裕層に仕える番犬にすぎず、それ以上ではないからだ。ベルエポック（一八九〇年頃～一九一四年）についてのフランス人の幻想や、エリートの庇護についてパリ政治学院の創設者が持っていた妄想も俎上《そじょう》に載せられる。つまり、この本には随所に細やかな筆づかいで、ある時代のある階層の人々がどのように自らの経済思想を形成していたのかを描く素晴らしいエセーが書きこまれている。

## アナール学派の末裔

ピケティのアプローチの特徴は、測量への意思にある。

まず、資本と国民所得という二つの経済指標の世界的な調査を通して、社会の現実を鋭く観察した。そして、資本と国民所得の関係を探った。最後に富の水準を正確に見極めるために資本と国民所得がどのように分配されているかを研究した。

こうした課題に取り組む比較歴史学者にとって、税務文書は「金鉱」である。それを解読することで肩書きや地位や職業の国ごとの違いを超えて、それぞれの社会を記述できるからである。どの社会にも上位〇・一％あるいは一％の富裕層がいて、上位九％、上位四〇％が続き、さらに下位五〇％の人々がいる。フランス革命以前のアンシャンレジーム（旧体制）の貴族と当世の金融トレーダーを同じ秤《はかり》で測定できるのだ。

このピケティの手法を体験してしまうと、さまざまな例を主観的に引いてくる印象主義や、頑迷なエキゾティズムによる調査報告を楽しむことはできなくなってしまう。統計と比較を統合したピケティの方法の力は驚くべきものだ。ピケティは経済学のモデル、つまり、自分の仕事道具を完全に使いこなしている。

しかし、いささか間抜けな先達の同業者とは異なり、欲求についての単純な公理系から始めることを拒否した。つまり、経済学の教科書の冒頭にあるような「経済人《ホモ・エコノミクス》」を前提に置かなかった。「経済人」なる概念は、歴史のなかで観察される現実とは、そもそも無関係である。ピケティは事実から出発し、事実を説明できる簡単でわかりやすいモデルを提示した。

ここに、ひとりの「歴史家」が誕生した。ピケティはおそらくアナール学派を代表する最良の歴史家として記憶されるだろう。長期的な持続を統計的な手法で解明していくアナールの学統は消えてはいなかったのだ。

私たちは奇妙な時代を生きている。フランス人がアメリカ人のお株を奪って、その目の前で経験主義の松明《たいまつ》を掲げているのだから。

## 資本は集中化する

本書ではマルクス、ケインズ、クズネッツ、フリードマンなどの経済学者が、不十分な統計を用いたかどで丁重に葬られていく。

それに対して、バルザック、オースティン、ヘンリー・ジェイムズと一八世紀から一九世紀の小説家が高く評価される。登場人物を通して同時代の社会を活写した彼らは、金利と生活様式の評価を的確にできた、生来の完璧な社会学者だったというのだ。バルザックが『ゴリオ爺さん』の登場人物ヴォートランに語らせた「働くべきか、結婚すべきか」というラスティニャックのジレンマは、結局のところ、多くの近代経済学の仮説よりも、はるかに本質を衝《つ》いている。

資本——ここでは労働に必要な道具、機械、建物、個人住宅を含む——は経済活動に欠かせない。そして、資本は蓄積の法則を持っている。そのスピードは、マルクスが考えていたよりもゆっくりである。そのため、マルクスの考えは時に批判されることもあった。

しかし、結局のところ、資本蓄積の法則は常に厳然とはたらいてきた。その法則からは悲劇的だが明白な事実が導き出される。経済成長率が資本収益率よりも低ければ——それが歴史のほぼ常態であるが——、資本の集中化の法則がはたらき、次第にほんの一握りの者の手に富は集まっていく。

このことから過去のすべての社会は「世襲財産的」だったといえる。どの社会も相続され集中化された富によって、支配されてきたからである。資本収益率が五％ならば、平均成長率が〇・五％でも一％でも二％でも、長期的にはほとんど違いをもたらさない。いずれの場合でも結局は上位一〇％の富裕層が総資本の八〇％を所有し、上位一％の富裕層が総資本の五〇％を所有する社会になるだろう。

一七八九年のフランス革命も資本の集中化の法則のはたらきを変えることはなかった。一七八九年から一九一四年は、歴史の教科書によれば、民主主義の時代であり、大衆の識字率が上がり、選挙権も拡大していったが、資本の集中化を押しとどめることはなかった。一八一〇年には上位一％の富裕層が総資本の五〇％弱、一九一〇年には六〇％を所有していた。

そのような事実は、トクヴィルを真剣に読みなおすことを促すだろう。だが、経済学者は再読に値するだろうか。冷戦時代にサイモン・クズネッツが示した、格差を是正する経済の自己調整機能など存在しなかった。経済学者は、経済は自動的に均衡状態に回帰すると盲信していたが、そのようなことは起きなかったし、誰も目にしたことがない。

## 戦争が中間層を出現させた

資本とそこから得られる不労所得（利子、地代、株の配当など）がごく一部の富裕層に集中化することを防いだのは、二〇世紀の戦争であった。戦争は物理的な破壊、インフレ、緊急措置としてとられた課税をもたらし、それらが資本の集中化を止めた。一九四五年、ついに資本は制御され、労働、教育、能力主義の時代が到来した。上位一％はようやく遺産ではなく、労働によって決まるようになった。

しかし、一九四五年以降の経済的な民主化は、トランプの札をシャッフルするように階層構造まで壊し、富を一から再分配することはなかった。下位の五〇％の層は相変わらず何も所有しなかった。戦後に生じた変化の最たるものは、「世襲財産的な中間層」の出現である。上位一〇％と下位五〇％の間に、何かを所有する四〇％が現れたのだ。

その何かとは、マイホームやささやかな貯金である。ただし、それらは上位の一〇％が持つ資産よりも高い収益率では投資・運用されない。とはいえ、アリストテレスがいったように社会の安定した土台となり、外部の脅威から社会を守るのは、この中間層である。

戦後復興を遂げた社会は、やがて平静を取り戻し、ほどよい人口増加と、ほどよい経済成長の時代を迎えた。すると、自然な成りゆきとして再び資本収益率は成長率よりも高くなっていった。税率は下げられ、資本蓄積が再開され、総所得に対する総資本の比率が上昇し、長期で見たときの平均値に再び近づいていった。社会の世襲財産化が進み、中期的には私たちの社会は平等な理想郷ではなく、ベルエポックやアンシャンレジームのような格差社会になっていくだろう。国家による調整がなければ、世襲財産的な社会が再び訪れることは、避けられない。

## ベビーブーマーたちの「能力主義」幻想

だが、こうした変化が起こりつつあることは、まだ十分には認識されていない。社会の操縦席に座っているベビーブーマーは、今もなお自分たちの社会が能力主義に基づいており、高学歴を目指す努力とその獲得が、階級上昇への道だと信じている。

確かに学歴はまだ意味を持っている。しかし、年を経るごとに相続や贈与を通じて、親の財産が子供の生活水準を決めるようになってきている。

フランスは今、均衡点にいると言えるだろう。資本から得られる不労所得の上位一％の額と労働から得られる所得の上位一％の額がほぼ同じだからだ。しかし、学歴のない富裕層の操縦席への帰還は、すでに見えてきている。

大げさに言うのはやめよう。貧しい人々にとっては、学歴があるだけのバカの自惚れの方が、知的に優れていると思いこんでいない資本の相続人の謙虚さよりも、有害かもしれない。能力主義の消滅が、何も所有しない人々にさらなる危機をもたらすとは必ずしも言えないのである。

## 希望は米国にある

比較を旨とする本書は、国や大陸ごとの特殊性、それぞれの社会が持つ独自の性格にも注意を払っている。マルク・ブロック（アナール学派の歴史学者）なら、それらのことを固有の歴史あるいは特殊人類学の基礎の反映と言うだろう。

たとえば、英国と米国の歩みが並べられれば、読者はそこにアングロサクソンの文化的統一性を見出すだろう。他にもこの書物のさまざまなところで、それぞれの地域ならではの重要な特殊性を発見できる。南北戦争前の米国経済においては、奴隷制によって蓄積された資本が大きな役割を担っていたことや、ドイツでは意外なことに第二次大戦後も富裕層の金融資産がしぶとく残ったことなどである。

大陸ヨーロッパと米国の比較では、ピケティの分析方法が、いかに私たちをイデオロギーから解き放ってくれるかを鮮やかに示してくれる。

この本によれば、私たちの予想どおり、格差の拡大傾向が米国を特徴づけていること、ここ数十年で米国の格差がヨーロッパの格差を上回ったことがわかる。

しかし、米国の格差を最もうまく説明するのは、スーパー経営者の超高給の暴騰である。このことは、移民流入と人口増加によって、資本が所得を決定する力は米国の方がヨーロッパよりも弱いということを意味している。

つまり、世襲財産的な社会という過去への回帰は、福祉国家を標榜《ひょうぼう》するヨーロッパの方が米国よりも先に進んでいる。

アングロサクソンの英国と米国は、かつて第二次大戦前に高額所得者に対して、没収に近いような非常に高い税率を導入することができた。その後、ヨーロッパ大陸諸国の水準以下の税率にするために、その非常に高い税率を撤廃したが、ピケティが述べるように富裕層と国家のヨーヨーゲーム（押し引き）が再開されることを夢見てしまう。

英国と米国で短期間であれ、そのような非常に高い税率が導入されたことがいかに奇妙でも、そのことから、資本を制御することは、ヨーロッパよりも米国の方が容易であるという結論が導かれる。名家は別として、アングロサクソンの社会は、世襲による財産移譲を好まないのである。

## EU主義者ピケティへの疑問

本書は現状の打開策で締めくくられている。この部分も非常に興味深い。金融市場と福祉国家の併存、インフレの矛盾に満ちた影響、国の借金によって公的資本がゼロになってしまうことについての独自の見解が詰まっている。

しかし、それらに十分な説得力があるとは思えなかった。所得に対する課税を改革し、全世界での資本に対する税、それが無理なら、せめてヨーロッパでの資本税を導入せよ、とピケティは提案している。確かに必要だろう。

しかし、ピケティは、それらを市民としての義務感から提言しているにすぎず、その実現可能性を信じていないように思える。今日起きているのは、ピケティの提案とはまったく逆の事態だ。税率の引き下げ、ヨーロッパ各国間の税負担軽減競争である。

メディア、大学、政党に資金援助をすることで、資本の政治的な力は強まっている。そのことが顕著に進んでいるのは米国だが、それが始まったのはヨーロッパである。

どのような突然の驚くべき危機が起これば、計器の針がゼロに戻り、我々年老いた先進国は民主的な再出発を果たせるのだろうか。この本を読んだ後に去来するのは、そんな思いである。あるいは逆に、豊かだが再び格差が非常に拡大した世界に、かつてなかったような、一見ソフトだが世界を包摂する支配形態が出現するのかもしれない。

結局のところ、経済という機械を暴力的に停止させる方が望ましいのではないだろうか。老人には恐ろしいことだろうが、一握りの人々が支配する世界を子孫に押しつけないためには、その方がいいのではないだろうか。

私たちはすでに現状を変える針路をとる米国のリーダーを夢見はじめている。あまりに世襲財産的なヨーロッパは、自分たちがすでに「第三次世界大戦」――今回は経済戦争だが――の只中にいることを認識していない。本書を読めば、そのことが理解できるだろう。

## 歴史家への挑戦状

ピケティは、二〇世紀の危機が資本を制御したことを解き明かしたが、なぜナショナリズムが昂揚したのか、なぜ戦争が起きたのか、なぜ年金生活者は自殺に追い込まれたのか、といった問題は提起しなかった。心性《マンタリテ》の力学はブラックボックスのままだ。それによって偶然にしか見えない出来事や、ピケティが提案した改革の非現実的な性格がおそらく持っている道理が解き明かされるだろう。

とはいえ、ピケティが比較に基づく厳密な社会経済的な枠組みを通じて、現代史を描き出したことは確かである。そして、歴史家たちにこの枠組みをわがものとし、残された疑問を解明してみろと挑発している。

この傑作を読み終えると、まだ解かれていない問いや謎で頭が一杯になり、マルク・ブロックが『歴史のための弁明』（岩波書店）に記した一節を想起せずにはいられない。

〈それぞれの学問分野は分割されてしまっているが、往々にして隣の分野からの脱走者が、学問に成功をもたらす最高の立役者となる。生物学を刷新したパストゥールは生物学者ではなかった。デュルケームとヴィダル・ド・ラ・ブラーシュは二〇世紀初頭の歴史研究にどんな専門家も及ばない比類のない足跡を残したが、デュルケームは社会学に移行した哲学者であり、ド・ラ・ブラーシュは地理学者であった。二人とも、いわゆる歴史学者とはみなされていなかった〉

**（翻訳＝編集部）**

# IV

# 「家族」という日本の病

# 10

# 「直系家族病」としての少子化

磯田道史×E・トッド

日本人は規律正しい民族だが、「自然人」としての奔放な面もある

原題　日本の人口減少は「直系家族病」だ
初出　『文藝春秋』二〇一六年一二月号

## 歴史人口学の父、速水融

**磯田**　トッドさんの四〇年に及ぶ研究の集大成である『家族システムの起源』（藤原書店）が、日本で翻訳が刊行され、非常に興味深く読みました。核家族や、直系家族（子供のうち一人、一般的には長男が相続者として親と同居する）といった家族システムが、社会の価値観やイデオロギーを規定していることを、全世界を対象に分析して論証した研究です。この本でひとつの国に丸々一章を費やされているのは日本だけですね。

**トッド**　日本について詳細に論じることができたのは、日本の歴史人口学の父である速《はや》水融《みあきら》さん（一九二九―二〇一九年）の素晴らしい研究成果のおかげです。彼の作った学派によって徳川時代の良質なデータが揃っていました。また、速水さんは良き友人でもあります。私の師匠筋にあたるエマニュエル・ル＝ロワ＝ラデュリの家でたまたま出会いましたが、速水さん、ル＝ロワ＝ラデュリと、そしてケンブリッジ大学の私の師匠、ピーター・ラスレットの三人が、歴史人口学と家族史の世界をリードしていたのです。

**磯田**　実は大学院生のとき、速水先生の研究のために日本中の古文書を探し歩いていました。先生が五年で五億円近い科学研究費を獲得されて、「これで家族と人口に関する史料を集めよう」と。

**トッド**　磯田さんは私と似たことをしていたのですね。私もラスレットに命じられて、史料探査に出かけたものです。私の場合は、ラスレットの学説では説明できないようなデータを見つけて、困らせてやろうと思っていましたが（笑）、磯田さんはどうでしたか？

**磯田**　ハハハ。そんな挑発はしませんでしたが、速水先生は当時からトッドさんの話をよくしていたので、トッドさんと議論するのに役立ちそうな史料を優先して探すようにしていました。ヨーロッパの家族システムの地域分布図が載っているトッドさんの著書『新ヨーロッパ大全』（藤原書店）を念頭において、地域が偏《かたよ》らないように、いろんな場所に探しに行きました。

　速水先生から家族と人口については農民の史料だけを集めればいいと言われていたのですが、密かに武士の史料も集めていたんです。最初、バレたときは怒られましたが、後になって、「いつの間に集めたんだ」と速水先生は笑って喜んでいたように思います。

**トッド**　さすが速水さんは素晴らしい。これがヨーロッパだとそうはいきません。特にフランス人の若い研究者は指導教授に従順にすることを潔しとせず、むしろ反抗しようとします。すると、どうなるか。私など、教員のポストが見つかりそうになったとき、ラスレットから邪魔されましたよ。私は彼の一番優秀な学生だったのですがね（笑）。

## 天皇家は日本的「イエ」ではない

**磯田**　今日は、日本の伝統的な家族システムである直系家族が、歴史上どのような影響を与えてきたかはもちろん、現代日本の社会が抱える問題と家族形態の関係についても論じたいと思っています。

たとえば最近では、我が国で最も長く続いている家系である皇室で、天皇が「生前退位」を希望したことが大きな議論を呼びましたが、トッドさんはどうご覧になりましたか。

**トッド**　生前退位については、日本人が皇室に対してどのような感情を抱いているのか、フランス人である私にはよくわかりませんので、何か見解を述べるのは難しいし、また言及すべきでもないと思います。

**磯田**　トッドさんが本で古代に女性天皇が多く存在したことに注目されているのは、素晴らしいと思いました。

**トッド**　ただ、天皇家を、どんな家族システムに分類すべきか、頭を悩ませてしまいます。君主制時代のフランス王家であれば直系家族ですが、天皇家は、直系家族、つまり日本的な「イエ」とは異なる何かです。明治期の法制化で天皇家にも直系家族的な「男子長子相続」の原則が適用されましたが、本来の天皇家のあり方からすれば、あまりにも人工的な措置だったようにも見えます。

**磯田**　その通りです。天皇家が日本の家族システムと決定的に異なっている点がひとつあります。それは現在に至るまで、婿養子をとったことが一度もないのです。近世以降、日本の家族には二割五分から四割は婿養子が存在します。婿養子をとるのは血脈の継承よりも、家名の存続に重きを置いているからだと思います。

**トッド**　日本における直系家族システムは鎌倉時代に始まり、江戸時代に大きく広がっていったと考えられます。そして明治政府が、皇室を含めたすべての日本の家族に対して、「長男相続」を法制化して義務付けたことで、規範として完成されたわけです。

**磯田**　日本の直系家族システムは、天皇家と武家が相互に補完する形で成り立ってきたとも考えられます。たとえば室町時代に足利義満が将軍だったころは、将軍が朝廷を凌ぐ存在となって、新たな王家となってもおかしくない危うい状況でした。

ところが、戦国時代の終盤ごろから、武士たちの間で、代々続く家系への憧れやリスペクトが高まっていく。実は面白い話があって、大坂の近く尼崎にいた青山という殿様は、天皇のことを「王左衛門」と呼んでいた。要は「王様ガードマン」と言ってバカにしていたわけです。しかしお付きの医者が、「そのようなことを言ってはなりません。天皇さまは天照大神から一代も欠かさず続いている家ですぞ」と諫《いさ》めたところ、「おお、それは畏《おそ》れ多い」と掌を返して尊敬するようになったという。つまり、武士の考える婿養子なき理想の直系家族として、天皇家が君臨するようになったというわけです。

**トッド**　皇族は直系家族ではないけれど、武士のような直系家族にとっては、まさに〝夢〟だったんですね。ただし、天皇家の家系をさかのぼると神に行き着くという話は、私には受け入れられませんが（笑）。

世界的に見ると、直系家族は血統が何代も長く続くことには重きを置いていません。血統よりも、プラグマティックに家業の継続性などのほうが重要だと考える傾向にあります。

**磯田**　日本では農民も代々家が続くことを大切にしています。そうした農民の精神性を非常によく表している俳句があります。

〈生きかはり　死にかはりして　打つ田かな〉

これを詠んだ村上鬼城は農民の出身ではありませんが、日本の直系家族の考え方を端的に表わしています。

## イトコ婚は社会の閉鎖性の指標

**トッド**　日本はドイツと同じ家族システムの国ですが、ひとつ違う点は、イトコ婚（イトコ同士の結婚）の存在です。ドイツでのイトコ婚は、ほぼ皆無ですが、日本では歴史的に許容されてきました。第二次大戦直後でも婚姻全体のうち七・二％です。イトコ婚は同じ親族グループ内での結婚（内婚）なので、社会の閉鎖的・内向的な傾向を示すものと考えられています。

**磯田**　私が古文書からイトコ婚を調べた経験からすると、江戸時代の内婚率はもっと高く、一割、もしかすると二割近くがイトコ婚だった可能性があります。

**トッド**　大変興味深いですね。それはいつの時代の、どんな史料で確かめられましたか。

**磯田**　サンプル数が少ないので恐縮ですが、宗門人別改帳（江戸時代の戸籍原簿・租税台帳）を見て、イトコ婚だと推定できるものと、私の家系図をさかのぼって調べたデータです。時代は、だいたい幕末の一八五〇年ごろですね。あと、戦後の首相は全部で三五人いますが、そのうち岸信介、佐藤栄作、菅直人の三人がイトコ婚です。ちなみに速水先生もイトコ婚でした（笑）。

**トッド**　イスラーム世界だとイトコ婚は三割ほどを占めるのに対して、ドイツのようにキリスト教文化圏は内婚を厳しく排除します。そう考えると日本の内婚率は、ユダヤ民族と同じくらいの割合ですね。アラブ諸国ほど内婚率が高いわけではない。また現在の日本ではイトコ婚がほとんど見られないように、内婚率は歴史的に変動しています。日本の歴史における閉鎖性とダイナミズムを考える上で、イトコ婚は非常に大事なポイントです。

## 変革が苦手な直系家族

**磯田**　なぜ私がイトコ婚について独自に調べていたかというと、日本の行く末を考える上で、社会の閉鎖性が重要なファクターだと考えたからです。今の先進国の中で、日本だけ経済成長率が〇・五％と低迷しています。その理由の一つは労働生産性の低さです。日本人はスクラップ＆ビルドが苦手な民族なのではないか。家は代々永続する。会社や事業も永続するものであり、変えたり壊そうとしたりとの考えはない。たとえ環境が変わっても緻密に完璧に育てようとする民族性がある。

たとえば、最近では「プロ経営者」と言われる人たちも出てきましたが、日本の企業では生え抜きの社長がまだまだ多いですよね。これはやはり直系家族で親の言うことを聞いて、狭い土地で緻密な稲作を続けてきたDNAを受け継いできたからではないかと。

**トッド**　その通りですね。私の友人でもあるイタリア人のディオニジ・アルベラが、南仏やスイスの直系家族を研究したところによれば、ヨーロッパでも日本におけるのと同じように、直系家族は、数世紀という長い時間をかけて、ゆっくり定着していったのですが、知識や技術の伝承に長けている家族システムなので、これが広がる過程で社会が飛躍的に進歩します。直系家族とは、継続性と柔軟性を兼ね備えたダイナミックな社会なのです。

**磯田**　家を継ぐ長男以外は、外に出て仕事を見つけなければなりませんから、直系家族は、近代化に不可欠な工場や軍隊を作るのに、とてもマッチしています。

**トッド**　ところが、直系家族がいったん完全に確立してしまうと、今度は社会全体が継続性だけを重視するようになり、〝化石〟化の傾向に陥りがちなのです。先ほどのスクラップ&ビルドが苦手という話を聞くと、磯田さんは直系家族にあまり肯定的ではないようですが？

**磯田**　良い面と悪い面の両方があると思います。否定的な側面は、組織を維持することを優先するあまり、組織が硬直化してしまっても変革に踏み切れない。肯定的な側面は、家の存続のためには継承者の能力が重要になってくるので、徹底して教育に力を入れるところです。

**トッド**　直系家族は、識字率などを含めて農業的、工業的技術を伝承していくには、非常に適したシステムです。また、こうも言えるでしょう。直系家族は素晴らしい、他国を侵略しさえしなければ（笑）。

## 薩摩藩の特殊な家族システム

**磯田**　日本における直系家族は、江戸時代を通じて増え続けて、徳川幕府を安定的に支えました。しかし、幕末期になって幕藩体制がにっちもさっちもいかなくなったとき、重要な役割を果たしたのが薩摩藩です。私が古文書の調査で一番驚かされたのが、薩摩藩の家族システムでした。薩摩藩が明治維新で主導的な立場となれたのも、その特殊な家族形態が大きく影響していたのではないかと思います。

**トッド**　日本の西南部の特殊性については速水さんも触れていましたね。鹿児島、熊本、沖縄、そして韓国の済州《チェジュ》島まで含めた「東シナ海沿岸部文化圏」が存在したかもしれない、と。

**磯田**　速水先生が言及していたのは、海女《あま》さんがいるような沿岸部の地域でしたが、私が調査したのは内陸部です。そこで見た侍の名簿には今まで見たことのないような衝撃的なことが書かれていました。兄弟三人に対して一つの禄が与えられていたのです。普通、武士にとっての俸禄とは、「俺は何石取りだ」というように、藩から一人に対して支給されるものです。しかし薩摩藩では、兄弟やイトコという男の横の関係性が重視されていました。

古文書の調査で半月ほど鹿児島に滞在していたのですが、夜の町で兄弟やイトコたちが日常的に焼酎を酌み交わしている姿を見かけました。こうした男性親族の関係は、現代日本の他の地域と比べると、かなり奇異というか、珍しい光景だと思います。

**トッド**　明らかに速水さんの調査したものとは異なる家族システムですね。その地域での女性の地位は高かったのでしょうか。

**磯田**　速水先生の調べた地域と違って、女性の地位は低かったと思います。家族史学者は、女性の地位が高いか低いかを、非嫡出子の割合や住む場所によって判定しますが、私は識字率に注目しています。リチャード・ルビンジャーという研究者が調査したところ(『日本人のリテラシー――１６００-１９００年』、柏書房)、明治十五年ごろのデータですが、薩摩の女性は一割に満たず、男性でも三割強でした。

**トッド**　なるほど。鹿児島の典型的な男性像といったとき、多くの日本人はどのようなイメージを思い描くのでしょうか。

**磯田**　西郷隆盛がぴったりのイメージで、軍人のように強い男でしょう。女性はおとなしく男に仕えている感じでしょうか。

そういえば以前、鹿児島県知事がこんな時代錯誤の発言をして顰蹙《ひんしゅく》を買いましたよ。「高校で女子に（三角関数の）サイン、コサイン、タンジェントを教えて何になるのか。それよりもう少し社会の事象とか植物の花や草の名前を教えた方がいいのかなあ」と。その知事は二〇一六年七月の選挙で落選しました。

**トッド**　その薩摩の特殊な家族形態をどのように捉えたらいいのか……。私の考えでは、方言と同じように、基本的に家族システムは中心から周縁部に伝播《でんぱ》していくものです。だからユーラシア大陸の周縁部であるヨーロッパで核家族が中心的形態となっていることは、核家族こそが最も古い家族システムだということなのです。

ただ、アルプスの渓谷やブルターニュ地方などの孤立した地域には、簡単には説明のつかない家族システムが存在します。それこそ、すべてを調べるためには一五〇〇歳まで生きなければいけないくらい（笑）。

**磯田**　あくまでも仮説ですが、薩摩は中世のころの家族システムが残っている地域なのではないでしょうか。普通、江戸時代の武士は自分の領地に行ったこともないのですが、薩摩藩では家臣が農村に住んでいますし、明治期の調査でも一〇万人くらいの郷士がいました。非常に中世的な在り方で、まるで鎌倉時代の武士を見ているような気がするのです。

**トッド**　もしかすると薩摩藩の例は、私のモデルでは説明できない可能性がありますね。私は生真面目なドイツ人学者ではなく、そこまで〝真面目〟ではないフランス人気質の人間なので、そうなったとしてもまったく構わないですが（笑）。

## 〝破壊者〟としての西南日本

**磯田**　さらに興味深いのは、組織を守り続ける直系家族社会の中で〝破壊者〟の役割を担ったのが、薩摩を中心とした西南日本の勢力だったことです。明治維新を引き起こした革新的エネルギーは、薩摩をはじめ、佐賀、長州、土佐といった中世的な様相を残していた地域から生まれました。

**トッド**　直系家族というシステムは、核家族がいわば進化した新しい形態なので、それよりも古い原初的な家族システムの残滓《ざんし》が、そうした地域に残っていた可能性もありますね。

**磯田** 一方、幕府側についた会津藩では、「什《じゅう》の掟」といって、幼少のころから「ならぬことはならぬものです」と教育される。すでに存在する規範を保守的に、ある種、無批判に受け入れる価値観を刷り込まれるのです。

対する薩摩では「泣こよか、ひっ跳べ」という言葉があるそうです。メソメソ泣いているより、思い切って崖から跳んでしまえ、という意味だとか。

**トッド** 鹿児島では直系家族の度合いが弱いのかもしれませんね。

**磯田** 考えてみると、二〇一六年の知事選挙では再稼働した川内《せんだい》原発の一時停止を公約に掲げた三反園《みたぞの》訓《さとし》候補が当選しましたし、そもそも「自民党をぶっ壊す」と宣言して郵政解散に打って出た小泉純一郎元首相も、父の小泉純也（元防衛庁長官）が鹿児島出身です。どうも鹿児島には、ドラスティックな変化を求めるエスニシティが伝統的に存在するような気がしてなりません。

## 日本人の「自然人」としての側面

**トッド** 日本の社会が、秩序を重んじる直系家族によって固定化してしまったとき、それを打開するために薩摩の人たちが、あるいは薩摩風の人たちが無秩序というか、フレキシビリティを発揮するのですね。それは直系家族より前に存在した、原初的でアルカイック（古風）な家族システムによるものかもしれません。

普段、日本人は非常に規律正しく礼節を重んじる民族ですが、と同時にもっと柔軟で、「自然人」とでも言うべき奔放な側面も併せ持っている気がします。同じ直系家族のドイツやスウェーデンで「自然人」を見つけようとしたら、もっともっと深く地層を掘り返さないといけない（笑）。

**磯田**　なるほど。丸山真男が言うところの「古層」のようなものでしょうか。

**トッド**　日本人には「直系家族」と「自然人」の二元性があるように、フランス人のメンタリティにも二元性があります。特に伝統的なエリート層がそうでした。フランソワ・オランドやニコラ・サルコジといった最近の大統領はダメですが、たとえばジョルジュ・クレマンソーが良い例です。彼は第三共和政の初めの頃は反骨のジャーナリストであり、左翼政治家でしたが、第一次世界大戦のときには鉄の意志をもった愛国の首相として、救国の英雄になりました。秩序と無秩序という二元性を併せ持つエリートだったのです。

**磯田**　原初的な自然人の多い地域を探すとき、時間の観念と婚姻ルールを基準にして見るとわかりやすいと思います。

時間観念でいえば、遅刻がどれだけ許容されるか。これは〝沖縄時間〟という言葉があるように、沖縄がダントツでしょう。あと四国もややそういう傾向があります。

婚姻だと非嫡出子の割合ですね。この二つで見れば顕著だと思います。

**トッド**　セクシュアリティをひとつの尺度にするのは同感です。でも、現在の日本では直系家族化が進んで、奔放な性は抑圧される傾向にありますね。

**磯田**　たしかに週刊誌でも、最近、不倫告発の記事が多く出ています。落語家や歌舞伎役者の不倫まで載せる。以前には少なかった現象です。秩序を重んじる直系家族的価値観が強化されている証左なのでしょうか。

トッドさんの考え方では、家族システムが変化してしまった後も、その価値観自体は消滅せず、社会に影響を与え続けるということですね。私自身、直系家族的だなと感じるのは名前です。先祖が由道。父の名前が道雄、私が道史。やはり家を継ぐ意識が根底にあるわけです。

**トッド**　そういう意味なら私の息子も歴史家なので、私のイエも直系家族かもしれません（笑）。

たとえばフランスでは、かつてのようなカトリック教会の権威はすでに崩壊しています。それは元来カトリック勢力が強かった地域でもそうです。しかし、実際に調べてみるとカトリック的な価値観は消えていなかった。たとえば「シャルリ・エブド」事件に抗議するデモに参加した人のうち、かつてカトリック勢力の強かった地域に住む人の割合が大きかった。これを私は〝ゾンビ・カトリシズム〟と呼んでいます。

**磯田**　たしかに現代日本において直系家族は少なくなり、核家族化が進んでいますが、直系家族的な現象は続いています。これは速水先生が指摘したことですが、そのひとつが、盆暮れの帰省ラッシュです。普段は遠く離れて核家族で暮らしているのに、このときだけは日本人が直系家族としての意識を取り戻す。帰省ラッシュがなくなったら、日本の直系家族は消滅すると速水先生が言っていたことを思い出します。

**トッド**　つい最近、日本で直系家族的価値観が今もなお保たれていることを実感した出来事があります。二〇一六年一〇月一二日に東京電力の施設で火災が発生したために、都内で大規模な停電がありました。その時、私はちょうど都内のホテルに滞在していましたが、避難する宿泊客たちの規律正しい姿に驚くと同時に、やっぱり、とも思いました。フランスだったら考えられない事態ですよ。これは〝ゾンビ直系家族〟と言っていいでしょう（笑）。家族構造がモダン化した核家族になっていても、直系家族の価値観はなくならない。江戸時代、そうしたイデオロギーはまだ発展途上でした。現在のほうがむしろ、より強くなっているのではないでしょうか。

## 性愛に大らかだった〝万葉集文化〟

**磯田**　もっと細かく見ていくと、私は最近、〝ゾンビ万葉集〟の可能性もあるのではないかと思っています。

**トッド**　万葉集？　それは何年ごろのものですか。

**磯田**　七世紀から八世紀ですね。フランスだとフランク王国のメロヴィング朝のころでしょうか。

なぜ万葉集かというと、直系家族から万葉集の時代のシステムに戻ったものがあるからです。その筆頭が、相続の仕方です。長男が総取りするという直系家族的原則がなくなりました。次に、結婚したら妻の親側の家に住むことが増えてきました。特に子供が生まれてから移り住む人が多くなった。さらに、おおっぴらに婚前交渉をするようになった。万葉集のころは、日本史上、一番性愛に大らかだった時代ですから。

一方、変わらなかったのは、親を養うという意識です。実際にそうするかどうかは別として、今でもアンケートをとると「親を養う」という直系家族的な考え方は意外と根強いです。あとは、子供ができたら結婚するという考え方。この志向は非常に強く維持されているから、芸能人でも「できちゃった婚」が多いんです。

**トッド**　私はこれまでに三回結婚しましたが、毎回、子供が生まれてからでしたよ(笑)。

**磯田**　私は三六歳で結婚するまで、経験がゼロ。きっちり直系家族の秩序主義をやり遂げました。もてなかっただけだけど(笑)。

まとめておくと、経済的な相続や恋愛は万葉集のころに戻っているけれども、結婚と親については直系家族のまま、というのが現在の日本の姿であると思います。

## トッドが観る、『殿、利息でござる！』

**磯田**　今回の対談に際して、トッドさんは、私の著作『無私の日本人』(文春文庫)が原作の映画『殿、利息でござる！』をご覧になられたそうですね。未見の方もいると思うので簡単にあらすじを説明しておきます。

この作品は、実話をもとにしていて、舞台は一八世紀の仙台藩の宿場町・吉岡宿。住人たちは宿場町の間を結ぶ「伝馬《てんま》役」を任されており、馬の維持費など重い出費のために生活が困窮、夜逃げするものがあとを絶たなかった。その状況を打開するために立ち上がったのが、造り酒屋の主人・穀田《こくだ》屋十三郎《やじゅうざぶろう》。一千両をかき集めて藩主に貸しつけ、その利息を伝馬役の費用に当てることを企てる。さて、どうやって一千両もの大金を集めたのか――。

**トッド** 私は日本が大好きですが、これまで実際に目にしてきたのは現代の風俗であって、江戸時代のそれは見たことがありませんでした。映画を通じてですが、当時の人々の様子を興味深く感じました。

また、東北の家族構造について調べて私自身が知っていたこと――女性の地位が比較的高いことや、必ずしも長男が家を継ぐわけではないこと――などが描かれていて、意を強くしました。

**磯田** 穀田屋は長男ですが、養子に出されて、実家の両替商は弟が継いでいたことですね。この主人公一家が本当にそうだったかは、フィクションが含まれているのですが、東北に特徴的な家族形態は、映画で描かれている通りです。

**トッド**　これまで統計資料などを読んで、日本の家族システムをイメージしてきましたが、映画を見て具体的な確信を与えてもらいました。

**磯田**　伝馬役の費用をまかなうために、儲けにもならないのに、みんなで一千両を集めるというのは、直系家族だからこその発想だと思います。同じ村に代々住み続けることが前提になっているわけで、子々孫々の代まで「お前の家は一文も出さなかった」と言われたくない。

**トッド**　村のまとめ役である肝煎《きもいり》や代官を通じて藩主に融資を申し出るなど、すべては封建制のシステムの中で企てが進められていますが、そうした封建的な倫理と利回りを計算するような経済合理性が一体となって機能しているのが、とくに興味深い点でした。封建制と経済合理性を二項対立で捉える、ヨーロッパの古くからのステレオタイプがまったく通用しない世界だからです。

## 日本の最大の問題は人口減少と少子化

**磯田**　それが日本の江戸という時代の特徴なんです。

また、映画のもととなった話から読み取れるのは、当時の民衆が、下の世代、さらに下の世代が暮らしていけるようにと考えて、投資していたということです。

万葉集の話で触れましたが、親を養うという直系家族的な価値観は消滅しているどころか、維持・強化されています。年間三〇兆円を超える社会保障費を使っているのは誰でしょうか。大半は高齢者です。現代の日本では常に上の世代への責任を果たす議論ばかりが先行して、下の世代、子供への投資が薄くなってしまうのです。

**トッド** 核家族システムのフランスでは、親を養おうという意識なんて希薄ですよ。婚外子の存在も普通のことですし、ひとり親でも子育てできる社会システムが整っているので、出生率も二・〇一にまで押し上げられています。日本では、直系家族の価値観が、ますます少子化を進めていると思います。歴史人口学者として言っておきますが、日本における最大の問題は、「人口減少」と「少子化」です。

**磯田** 意識や価値観は直系家族のままですが、実際の家族は核家族化が進むどころか、生涯未婚者が増えて、今や「非家族化」が進行していると言っていいでしょう。若い世代が将来への不安から結婚をためらう社会なのですから、少子高齢化が進み、人口が減る一方です。

**トッド** 人口問題という観点から言えば、日本はもはや移民を受け入れざるを得ない状況だと思います。日本と同じ直系家族システムのドイツも同様に少子高齢化に悩んでおり、出生率も日本とほぼ同様の一・四と低い。そのためどんどん移民を労働力として受け入れて、経済的パフォーマンスを高めています。ただし、あまりにも拙速すぎる移民受け入れは、いずれ社会問題を引き起こすと思いますが。

日本の家族システムには移民受け入れを阻害している要因が存在します。それは秩序を守ろうとする〝完璧さ〟です。日本人が排外的だとは思いませんが、もう少し社会に移民のような無秩序な要素を受け止める寛容さが必要でしょう。

**磯田**　社会保障費は何もしなくても毎年約一兆円増えていきます。その一方で少子高齢化が進めば、税収を維持するのも困難です。税収や所得水準を落とさないためには、質の高い労働力を育てることしかありません。それには、教育に投資するしかないのですが、そこにはお金が回らない状況にどんどん進んでいます。この非常に憂うべき状況は、もはや〝直系家族病〟と言うべきかもしれません。

**トッド**　移民をもっと受け入れるべきだとしても、根本的な解決にはなりません。今日の日本社会の最大の問題は、直系家族的な価値観が育児と仕事の両立をさまたげ、少子化を招いていることです。家族のことを家族にばかり任せるのではなく、出生率上昇のために国家が介入すべきです。政府が真っ先に取り組むべきは、経済対策よりも人口問題だと考えます。

（通訳＝堀茂樹）

# 11 トッドが語る、日本の天皇・女性・歴史

本郷和人×E・トッド

女性天皇の登場は、中国の父系文化への反発でもあった

原題　エマニュエル・トッドが語る天皇・女性・歴史

初出　『文藝春秋SPECIAL』二〇一七年冬号

## 歴史研究の原点としての古文書

**本郷**　今日は『家族システムの起源』『世界の多様性』（いずれも藤原書店）などで知られる世界的な歴史家、家族人類学者のトッドさんと、「家族」を切り口に日本の歴史を論じ合うというので、喜んでやってきました。

**トッド**　日本の歴史家を前にして日本の歴史を語るのは、私にとってたいへん恐ろしい体験です。遠いパリにいて日本を語っている分には、こうした恐怖を感じなくて済むのですが（笑）。

私の日本分析は、日本の歴史人口学の父といえる速水融さんをはじめとする先行研究に多くを負っています。しかし、過去の社会のあり方は、必ずしも史料から十分に実証できることばかりではありません。ときには、世界のほかの地域のデータから類推し、それを日本にあてはめた場合に矛盾が生じるか、といったアプローチも可能です。本日は、そうした、まだ仮説にとどまる部分も含めて意見交換させていただきたい。

**本郷**　私がトッドさんの研究ですごいと思うのは、まさにその仮説を立てる力ですね。これは、日本の歴史学者が最も苦手とする、といいますか、忌避してきた部分でもある。

自己紹介を兼ねますと、私の本業は東京大学の史料編纂《へんさん》所というところで、こういった鎌倉時代の史料を集め（巻物を広げる）、活字にして残すことなんです。私の編纂所人生での担当は建長元年（一二四九年）から建長三年までで、これを定年を迎えるまで三〇年の間にまとめるわけです。

**トッド**　私も若い時に一八世紀フランスの古文書に触れました。その時の感動が、この仕事に進むきっかけの一つになったと思います。

それから、研究生活の初期に、北フランスの二つの村やブルターニュ地方の記録文書などを調査し、その後、イタリアのトスカーナ地方やスウェーデンの村などでも同様の調査を行いました。教会に残された住民の台帳や、租税に関する史料などから、出生、結婚、家族構成、死去などを全部調べていったのです。ですから、たとえば一七七一年から一七七八年頃に北フランスのある村にいた村民のことならば、一人一人をよく知っていますよ（笑）。

今では私は家族構造の変遷から人類史を描き直すというように、広大な対象を俯瞰《ふかん》するタイプの歴史家だと思われることが多いのですが、もともとは一次史料を厳密に細かく調べる仕事からスタートしたわけで、それは歴史研究にとって大事な作業だと思っています。

## 核家族が「最も原始的」

**本郷**　さっそく日本の歴史について伺いたいのですが、その前に、歴史を見る上でのトッドさんの武器ともいえる「家族類型」について、簡単に説明していただけますか。

**トッド**　では、ごく簡単に。家族というものを、親子関係、兄弟姉妹関係、内婚制（イトコ婚を許容）か外婚制かといった基準で分類し、大きく五つに整理してみます。

まず英米を中心に見られる「絶対核家族」。このシステムでは子供は早くから親元を離れ、結婚すると独立した世帯を持ちます。遺産相続は親の意思による遺言で決定されることが多い。つまり、親子関係は自由で、兄弟間の平等は重視されません。

次に、フランスの北部や広大なパリ盆地、スペイン、イタリア北西部などで見られるのが「平等主義核家族」です。結婚するとすっかり独立するのは英米型と同じですが、相続においては子供たちの間で平等に、しかも男女差別なく遺産を分け合います。

一方、ドイツ、フランス南西部、スウェーデンやノルウェー、日本、韓国などは伝統的に「直系家族」です。通常は男子長子（時には末子）が跡取りとなり、彼だけが結婚した後も父の家に住んで、すべてを相続する。親子関係は権威主義的（親の権威に従う）で、兄弟間は不平等です。

最後に「共同体家族」です。これは男の子供が全員、結婚後も親の家に住み続ける家族形態です。父親の下に兄弟の家族もみな同居するため、家族が一つの巨大な「共同体」となります。相続は平等ですが、親子関係は権威主義的です。

このうち、イトコ婚を認めない「外婚制共同体家族」は中国、ロシア、北インド、フィンランド、ブルガリア、そしてイタリア中部のトスカーナ地方などに、イトコ婚を選好する「内婚制共同体家族」はアラブ地域、トルコ、イランなどに広がっています。つまり、この「共同体家族」はユーラシア大陸の中央部の広大なエリアに分布しているのです。

これらのうち、最も新しいのは「共同体家族」です。反対に、最も近代的に見える核家族こそ、実は「最も原始的」なのです。

これは、従来の家族史の定説をくつがえす見方です。私自身も、当初は世界の家族構造の分布を「偶然の結果」と考えていました。ヒントをくれたのは、友人の言語学者で、中国語研究を専門とするローラン・サガールでした。「中心地で生まれた新たな語形が周辺へ伝播する結果、古い語形ほど外に、新しい語形ほど内に分布する」というのは言語学の常識だというのです。そこで、共同体家族がユーラシア大陸の中心にあり、核家族が周縁にあるなら、それは核家族が最も古く、共同体家族が最も新しいにちがいない、と示唆してくれました。このことを人類史全体にわたって実証的に検証したのが、私の『家族システムの起源』です。

## 日本は「極東」ではなく「極西」

**本郷**　日本でも、民俗学者の柳田国男などがその伝播理論で方言を研究し、地方に古い言い回しが残ることを説明しています。

すると、核家族の英米や、直系家族の日本やドイツは、ユーラシアの周縁に位置しているからこそ、そういう家族システムなのだというわけですね。

**トッド**　そうです。ですから私は、日本の歴史を見ても、さほどエキゾティックには感じません。つまり、日本史にはヨーロッパとの類似点が多いのです。

たとえば文字の採用を基準にするならば、『古事記』が書かれたのが七一二年、音節文字（かな）が形成されたのは七世紀から九世紀に遡れますね。これは、ゲルマン圏の文明に近い。文字がザクセン（ドイツ北東部）に到達するのは七八五年頃のことです。また日本で長子相続がはじまるのは鎌倉時代の半ば以降ですが、フランス南西部で直系家族が現れるのが一三世紀の終わりから一四世紀の初めですから、これも重なり合っている。こうした並行関係が多く目につくのです。

明治以降の日本が、西欧のキャッチアップにあれほど見事に成功したのは、こうした、もともとの並行関係があったからではないか。速水さんはその類似性を、日本は「極東」ではなく「極西」なのだという言い方で表現していますが、私にも、「日本は昔からヨーロッパだったんじゃないか」と思えるときがあります。

ただ、付け加えると、日本とヨーロッパで完全に異なる時期もあります。それは、たとえば平安時代。当時の文学作品も含めて、史料によると、とりわけ宮廷社会はきわめて洗練された知的な文化をもち、しかも非常に閉じられた社会だった。重要なのは、この時代、内婚が多かったことです。

同時期の西ヨーロッパはというと、フランスなどはローマ的なものとゲルマン的なものが激しく衝突し、融合しようとする、おそろしく野蛮な時代です（笑）。しかも外婚制の徹底された時代でもありました。

**本郷**　そこが非常に興味深い点ですね。というのは、日本にもたくさんの史料は残されているのですが、多くは貴族だったり、後には武士だったりで、大多数を占めていた農民がどういう家族形態だったのか、なかなかわからないのです。だから、平安時代についても、洗練された宮廷社会から類推して、一般の農民たちも平和に暮らしていたのではないかという見方がある一方、その反対に、朝廷はあくまでもごく少数の例外で、それ以外、特に関東などは野蛮な、暴力的な社会だったのではないかと述べる論者もいます。

　実は私は後者なのですが（笑）、そう考えると、平安時代の日本も、同時期のヨーロッパのように野蛮な時代だったともいえる。つまり、日本——ヨーロッパ並行説は、平安期にも成立するのではないでしょうか。

## 直系家族と軍事組織

**トッド**　いま、本郷さんが提示された捉え方には、たしかに説得力を感じますね。ただ、日本とヨーロッパの歴史の大きな違い、それは戦争の頻度です。ヨーロッパ地域は、歴史上ほとんど絶え間なく紛争の地であり、暴力の地であり、衝突の地でした。それに対して、日本は外からの侵略も、内部での大量殺戮《さつりく》も、ほとんど経験していないのではないでしょうか。日本は非常に好戦的な国だという、実像から離れたイメージがヨーロッパにも残っていますが、先の大戦での記憶と、日露戦争の驚き、そして武士のイメージが重なり合って、なかなかそれに先立って続いていた長い歴史の実体が見えてこないのです。別の言葉で言えば、戦争が自然の状態なのか、例外的な状態なのか。日本の歴史を眺めると、どうも後者に傾いてみえます。もちろん、これは仮説に過ぎませんが。

**本郷**　しかし、魅力的な仮説です。

**トッド**　もう一つ、日本とヨーロッパの類似性で触れておきたいのは仏教です。浄土真宗をはじめとする鎌倉新仏教は、プロテスタントの台頭に非常によく似ています。それが農民運動（一揆）につながる点も共通している。

初めて日本に来た時に、親鸞の後継者である浄土真宗の高僧にお目にかかることを希望したことがあります。すると、驚いたことに面会が許され、私は映画『００７』シリーズのジェームズ・ボンドが行くような山道を車で走って、山上のお寺に上りました。親鸞とルターの類似性などをめぐって議論ができるのでは、と意気込んでいたのですが、会ってくださった老僧は、自分はフランスに留学したことがある、ジャンヌ・ダルクに関する本も書いたと仰《おつしや》って、せっかくの面談がずっとジャンヌ・ダルクの話に終始してしまった（笑）。

**本郷**　お寺といえば、私が卒業論文でテーマにしたのは高野山でした。当時の史料を見ていると、武士の家では長男には後を継がせて武士にする。すると次男は高野山に上って僧侶になるんです。

**トッド**　それはまさに直系家族に多いパターンですね。武士の家以外でも、家を継がない次男、三男が軍人、聖職者になる。有名な『三銃士』の主人公ダルタニャンは実在の人物なのですが、彼は直系家族の地域であるフランスの南西部ガスコーニュの出身で、実際に次男（四男説も）だった。ガスコン人といえば、勇猛果敢な武人を輩出することで知られています。彼らのエートスは武士のそれに似ていますよ。贅沢をしない、勇敢である、名誉を重んじる……。

**本郷**　そこで、日本は平和的な国だったのか、という問いと重なりますが、一方で、日本は一二世紀からずっと近代に至るまで、一貫して軍事政権です。それに対して、中国は武官よりも文官が上ですね。これは家族システムと関連するのでしょうか。

**トッド**　それはとてもいい問いですね。しかし、答えるのは非常に難しい。

ただ、直系家族的なものと軍事組織のあり方は、関係があると思います。近代日本が効率の良い軍隊を作り上げたこと、一七〜一八世紀のプロシアの軍人比率の高さなどが思い浮かびますね。

それに対して中国は、共同体家族になる前には、直系家族の時代がありました。そして直系家族時代の中国は、まさに絶え間ない戦乱の時代でもあったのです。

**本郷**　春秋戦国から秦、漢、『三国志』に描かれたような時代ですね。

**トッド**　その意味では、共同体家族になって、中国は戦争能力の多くを喪失してしまったのではありませんかね。実際、近現代の歴史を振り返っても、中国はけっして戦争に強くない……。いや、これもまた、今すぐには結論が出ませんね（笑）。

## 女性天皇は中国の父系文化への反発

**本郷**　日本の家族を論じる上で欠かすことができないのが天皇家だと思います。トッドさんも、『家族システムの起源』のなかで女帝の問題に言及されていますね。

**トッド**　フランス語で「女帝」というと、すぐナポレオンの妻ジョゼフィーヌなどを連想してしまうので厄介なのですが（笑）。

それはともかく、日本の女性天皇のことには、日本の家族類型がどのように変わっていったかを記述した部分で触れました。私はやはり隣国、中国からのインパクトが大きかったと考えています。最初の女性天皇、推古天皇が即位した数年後に、およそ一世紀途絶えていた中国との公式の接触が再開されていますね。

もともと日本の家族は最も原始的な形態に近い双系制（若い夫婦が夫と妻いずれの家族集団にも所属できる）の核家族だったと思われます。

それに対し、隣の中国では、先にも述べましたが、早くから父系的な直系家族が成立しました。その権威主義的家族関係を倫理化したものが儒教です。

日本は文字を含め、中国から高度な文明を摂取する立場でした。当時の日本にとっては、中国の父系主義、男性を女性の上に置く社会構造も、先進的な文明の一部だったのです。現在の世界では、女性の地位向上は進歩であり、文明化のバロメーターの一つとも見なされている。ところが、当時はそうではなかった。男性上位こそが文明化のあかしだった。これは古代のギリシア・ローマ時代も同様で、女性の地位が高い地域は野蛮だと蔑《さげす》まれていたほどです。

その意味で、平安期以前の女性天皇には、中国から流入してきた父系文化、男性上位文化への、まだ双系的な要素を多分に残していた日本の反発、反動、リアクションという側面があったのではないでしょうか。

## 「ヨコ型継承」から「タテ型継承」としての女性天皇

**本郷**　非常に面白いご指摘です。トッドさんは『家族システムの起源』に、「六世紀の最末期に、皇帝一族は、皇位継承の慣行に革新を加える。それも明確な規則の確立によってではなく、女帝の指名によってであった」と記されていますが、女性天皇の登場は、皇位継承の規則変更にも関わっているように思います。

日本の歴史上、女性の天皇は八人ですが、そのうち六人（うち二人は重祚《ちょうそ》）は平安時代に入る手前で出現します。それまでの皇位の継承は、必ずしも父から子へ、ではなく、兄から弟、叔父から甥というケースも少なくなかったのです。それが、ある特定の皇子に天皇になってもらいたい、しかし、その皇子は幼かったりして、すぐに天皇にはできない、というジレンマのなかで、中継ぎとして女性が皇位に就くわけです。これを大きく見れば、兄弟間継承という水平的な方向から、父子継承という垂直的な方向に移行する時期だからこそ、女帝が出てきた、といえる。

**トッド**　中継ぎとしての「女帝」ということは、フランスの君主制に置き換えると、摂政的な存在にあたりますね。

**本郷**　中国からのインパクトで直系化が進む一方で、急速な中国化へのためらい、抵抗があったというのは、大いにありうることだと思います。

## 皇室は「直系家族」ではなかった？

**トッド**　八世紀に入ると、日本は中国に倣《なら》って律令制を取り入れます。大宝律令は相続から女子を排除する父系原則、住居、動産などの半分を長男のものと定める長子相続原則を盛り込んでいたけれども、それは実際には使われることがなかった。直系家族の理念は示されたにもかかわらず、現実には馴染まず、定着しなかったのですね。ちなみに、この時期には中国の中央地域では、すでに直系家族から父系支配による共同体家族への移行が始まっていました。

　ですから私は、日本における直系家族を単に中国から渡来したものだとは考えません。日本において直系家族が出現するのは鎌倉時代以降で、時期が大幅にずれているのです。そして、その発展の中心となったのは関東地方でした。

　先にも述べたように、フランス南西部でも直系家族は一三世紀に始まり、一九世紀にかけて緩やかに定着していきました。そこは日本と似ています。

　しかし、フランスでは、およそ一〇〇〇年ごろ、カペー朝が「直系家族」というあり方を示し、それが人々に伝播していったのに対して、日本では、典型的といえる直系家族は関東を中心に発展していきました。皇室は「直系家族」とは異なる何かであって、むしろ例外的な場所に置かれていたように思えます。宗教的な色彩が強いこともあって、ヨーロッパの王室とはまるで違いますね。

となると、日本では、ヨーロッパとは逆に、明治になってから、一般の日本人が営んでいる「直系家族」を皇室にも適用した、と言えるのでしょうか。本郷さん、いかがですか？

**本郷**　王が一般社会のあり方を決めるのではなく、逆に、一般社会の側が王のあり方（家族システム）を決めてしまったのでは、という問いですね。うーん、とてもいい質問だと思います（笑）。

まず言えるのは、日本の天皇には、とくに戦国時代、江戸時代には、政治的な力はまったくなくなっていました。だから、明治になったときに「天皇」というものをどうデザインするかが、時の権力者たちの重要な課題となったことは間違いない。もちろんそのとき、プロシアなど西洋の王室のあり方も参照したと思いますが……。

そう考えると、たとえば天皇の皇子が里子に出されず、お手元で育てられるようになったのは戦後のことですね。これも、いわば天皇家が一般の家族システムを取り入れた結果かもしれません。

## 日本の女性がもてる理由

**トッド**　最後に、女性に関して論じたいと思います。

私がユーラシア大陸の家族システムを分析して得た結論の一つは、家族システムの推移を歴史的に見ると、核家族よりも直系家族のほうが新しく、直系家族よりも共同体家族のほうが更に新しく、しかも、新しく発生した家族システムは大陸中央から周縁に向かって拡がっていったということでした。

そのなかで女性の地位に着目すると、核家族の双系制的なあり方よりも、父系的な直系家族では地位が下がる。そして、父を頂点として兄弟たちが同じ屋根の下で暮らす共同体家族では、さらに女性の地位は低下します。一人っ子政策下の中国での男女比率の著しい歪みも、その端的なあらわれでしょう。

つまり、ユーラシア大陸の大部分で数世紀にわたって進行してきたのは、実は、女性の地位低下にほかなりません。私は日本の現状に詳しいわけではありませんが、巨視的には、日本もそのダイナミズムの中にあると指摘できます。ことに明治以降、直系家族が完成に向かうと、それが加速しました。私は日本で少子化が進む要因の一つはここにあると思います。

**本郷**　あまりにも意外なご指摘で驚きました。私なんかは家庭でも、社会でも、女性の強さを日々実感しているもので……。青天の霹靂《へきれき》です。

**トッド**　日本には学歴の高い女性、社会で働いている女性も多い。しかし、一般的にいって、日本人の間では、「なんでも家族内で解決すべきだ」という家族イデオロギーが強すぎるのではないでしょうか。その負担が、女性を自由に生きさせることを妨げているのではないか、と。

女性の地位を上げて労働と出産・育児を両立させ、人口増加につなげたいのならば、日本はむしろ過去に、たとえば江戸時代くらいのルーズさに戻ることを考えたほうがいいと思います。直系家族は、教育意欲を高く保ち、知識の伝承を重んじるなど、高度な文明を生んできた力強くも効率的なシステムですが、完成してしまうと硬直化しやすい。未完成で不完全なシステムにとどまっている時のほうが実はうまくいくというわけなのですが、これはなかなか難しいですね。

ここで一つのパラドックスを紹介しましょう。一九世紀にトクヴィルが指摘したように、米国は伝統的に女性の社会的地位が高い社会です。しかし、アメリカ人男性は非常にマッチョ志向が強い。つまり、社会が女性の強さを容認するがゆえに、個人としての男性は、より男らしさを強調した振る舞いに走るのです。つまり、ヒラリー・クリントンとドナルド・トランプです（笑）。

**本郷**　おお！　なるほど（笑）。

**トッド**　一方、日本のような社会では、グループとしては男性が強く、より大きな自由を享受している。ところが個人となると、女性と一対一になると、逆に女性に圧倒されてしまう（笑）。これは我が四〇年の研究生活の果てにたどり着いた仮説なのですが、どうでしょうか。

**本郷**　あまりにも正鵠《せいこく》を射ていて……。海外でも日本の女性は引っ張りだこなのに、日本男子はまるでもてませんからね。

**トッド**　つまり、女性の地位が高い社会で育った男性と、父系的で男性上位社会の出身の女性が出会うと、二人とも、それまで経験したことのないレベルで、自分がリスペクトされているという感覚を味わうのですよ。もちろん、この仮説には、統計的な実証データは何ひとつありません（笑）。

**本郷**　今日は、日本の歴史から女性問題まで、トッドさんの仮説力に圧倒されました（笑）。

（**通訳＝堀茂樹**）

**磯田道史**（いそだ みちふみ）

1970 年岡山県生まれ。国際日本文化研究センター教授。慶應義塾大学大学院文学研究科博士課程修了。博士（史学）。著書に『武士の家計簿』『近世大名家臣団の社会構造』『無私の日本人』『天災から日本史を読みなおす』『感染症の日本史』など。

**本郷和人**（ほんごう かずと）

1960 年東京都生まれ。東京大学史料編纂所教授。東京大学・同大学院で石井進氏、五味文彦氏に師事し、日本中世史を学ぶ。著書に『新・中世王権論』『日本史のツボ』『承久の乱』『権力の日本史』『世襲の日本史』『天皇はなぜ生き残ったか』など。

**堀　茂樹**（ほり しげき）

1952 年生まれ。慶應義塾大学名誉教授。専門はフランス文学・思想。訳書に『悪童日記』（アゴタ・クリストフ著）『カンディード』（ヴォルテール著）『「ドイツ帝国」が世界を破滅させる』『シャルリとは誰か？』（以上、トッド著）など。

**大野　舞**（おおの まい）

1983 年生まれ。慶應義塾大学総合政策学部卒業、一橋大学大学院社会学研究科修士課程修了。パリ大学東アジア人文科学研究科博士課程所属。訳書に『大分断——教育がもたらす新たな階級化社会』『エマニュエル・トッドの思考地図』（以上、トッド著）。

**エマニュエル・トッド**（Emmanuel Todd）

1951年生まれ。フランスの歴史人口学者・家族人類学者。国・地域ごとの家族システムの違いや人口動態に着目する方法論により、『最後の転落』（76年）で「ソ連崩壊」を、『帝国以後』（2002年）で「米国発の金融危機」を、『文明の接近』（07年）で「アラブの春」を、さらにはトランプ勝利、英国EU離脱なども次々に〝予言〟。著書に『エマニュエル・トッドの思考地図』（筑摩書房）、『「ドイツ帝国」が世界を破滅させる』『シャルリとは誰か？』『問題は英国ではない、EUなのだ』（いずれも文春新書）など。

**文春新書**

1339

老人《ろうじん》支《し》配《はい》国《こつ》家《か》　日本《にほん》の危《き》機《き》

---

2021年11月20日　第1刷発行
2021年12月10日　第2刷発行

著　者　　エマニュエル・トッド
発行者　　大　松　芳　男
発行所　株式会社　文　藝　春　秋

〒102-8008　東京都千代田区紀尾井町3-23
電話（03）3265-1211（代表）

印刷所　　理　想　社
付物印刷　　大　日　本　印　刷
製本所　　大　口　製　本

定価はカバーに表示してあります。
万一、落丁・乱丁の場合は小社製作部宛お送り下さい。
送料小社負担でお取替え致します。

---


ISBN978-4-16-661339-7

## ◆政治の世界

民主主義とは何なのか　長谷川三千子
拒否できない日本　関岡英之
司馬遼太郎 リーダーの条件　半藤一利・磯田道史・鴨下信一他
自滅するアメリカ帝国　伊藤 貫
新しい国へ　安倍晋三
憲法改正の論点　西 修
ニッポンの大問題　池上 彰
日本に絶望している人のための政治入門　三浦瑠麗
あなたに伝えたい政治の話　三浦瑠麗
政治を選ぶ力　橋下 徹・三浦瑠麗
国のために死ねるか　伊藤祐靖
オバマへの手紙　三山秀昭
安倍晋三「保守」の正体　菊池正史
田中角栄 最後のインタビュー　佐藤 修
安全保障は感情で動く　潮 匡人
日米同盟のリアリズム　小川和久
軍人が政治家になってはいけない本当の理由　廣中雅之
小泉進次郎と福田達夫　田﨑史郎
日本よ、完全自立を　石原慎太郎
内閣調査室秘録　志垣民郎 岸 俊光編
軍事と政治 日本の選択　細谷雄一編
兵器を買わされる日本　東京新聞社会部
地方議員は必要か　NHKスペシャル取材班
知事の真贋　片山善博
政治家の覚悟　菅 義偉

## ◆アジアの国と歴史

「南京事件」の探究　北村 稔
韓国併合への道 完全版　呉 善花
侮日論　呉 善花
韓国「反日」の真相　澤田克己
「暗黒・中国」からの脱出　顔 伯鈞 安田峰俊編訳
ルポ 絶望の韓国　牧野愛博
韓国を支配する「空気」の研究　牧野愛博
「中国」という神話　楊 海英
独裁の中国現代史　楊 海英
劉備と諸葛亮　柿沼陽平
王室と不敬罪　岩佐淳士
キャッシュレス国家　西村友作
性と欲望の中国　安田峰俊
日本の海が盗まれる　山田吉彦
インドが変える世界地図　広瀬公巳
反日種族主義と日本人　久保田るり子

## ◆さまざまな人生

生きる悪知恵　西原理恵子
家族の悪知恵　西原理恵子
男性論 ECCE HOMO　ヤマザキマリ
迷わない。　櫻井よしこ
それでもこの世は悪くなかった　佐藤愛子
僕たちが何者でもなかった頃の話をしよう　山中伸弥・羽生善治・是枝裕和・山極壽一・永田和宏
続・僕たちが何者でもなかった頃の話をしよう　池田理代子・平田オリザ・彬子女王・大隅良典・永田和宏
安楽死で死なせて下さい　橋田壽賀子
変節と愛国　浅海 保
一切なりゆき　樹木希林
天邪鬼のすすめ　下重暁子
さらば！ サラリーマン　溝口 敦
私の大往生　週刊文春編
昭和とわたし　澤地久枝
それでも、逃げない　三浦瑠麗・乙武洋匡
知の旅は終わらない　立花 隆

死ねない時代の哲学　村上陽一郎
イライラしたら豆を買いなさい　林家木久扇
老いと学びの極意　武田鉄矢

(2020. 12) C　品切の節はご容赦下さい

## ◆経済と企業

- 金融工学、こんなに面白い　野口悠紀雄
- リープフロッグ　野口悠紀雄
- 臆病者のための株入門　橘　玲
- 臆病者のための億万長者入門　橘　玲
- 熱湯経営　樋口武男
- 先の先を読め　樋口武男
- 就活って何だ　森　健
- 資産フライト　山田　順
- ビジネスパーソンのための契約の教科書　福井健策
- ビジネスパーソンのための企業法務の教科書　西村あさひ法律事務所編
- ブラック企業　今野晴貴
- ブラック企業2　今野晴貴
- 税金　常識のウソ　神野直彦
- 売る力　鈴木敏文
- 日本型モノづくりの敗北　湯之上隆
- 詐欺の帝王　溝口　敦
- さらば！　サラリーマン　溝口　敦
- トヨタ生産方式の逆襲　鈴村尚久
- グローバリズムが世界を滅ぼす　エマニュエル・トッド　ハジュン・チャン　柴山桂太・中野剛志・藤井　聡・堀　茂樹
- 税金を払わない巨大企業　富岡幸雄
- 消費税が国を滅ぼす　富岡幸雄
- あなたの隣のモンスター社員　石川弘子
- 新自由主義の自滅　菊池英博
- 安売り王一代　安田隆夫
- 働く女子の運命　濱口桂一郎
- 人工知能と経済の未来　井上智洋
- 「公益」資本主義　原　丈人
- お祈りメール来た、日本死ね　海老原嗣生
- 2040年全ビジネスモデル消滅　牧野知弘
- 生き返るマンション、死ぬマンション　荻原博子
- 最強の相続　荻原博子
- ルポ　税金地獄　朝日新聞経済部
- 日本株式会社の顧問弁護士　児玉　博
- 自動車会社が消える日　井上久男
- 日産vs.ゴーン　井上久男
- 新貿易立国論　大泉啓一郎
- 世界史を変えた詐欺師たち　東谷　暁
- 日銀バブルが日本を蝕む　藤田知也
- AIが変えるお金の未来　坂井隆之・宮川裕章＋毎日新聞フィンテック取材班
- なぜ日本の会社は生産性が低いのか？　熊野英生
- 会社員が消える　大内伸哉
- キャッシュレス国家　西村友作
- 農業新時代　川内イオ
- 総会屋とバブル　尾島正洋
- 吉本興業の約束　大﨑　洋　坪田信貴

## ◆世界の国と歴史

ローマ人への20の質問　塩野七生
歴史とはなにか　岡田英弘
常識の世界地図　21世紀研究会編
食の世界地図　21世紀研究会編
新・民族の世界地図　21世紀研究会編
カラー新版 地名の世界地図　21世紀研究会編
フランス7つの謎　小田中直樹
一杯の紅茶の世界史　磯淵　猛
新約聖書Ⅰ　新共同訳 佐藤　優解説
新約聖書Ⅱ　新共同訳 佐藤　優解説
佐藤優の集中講義 民族問題　佐藤　優
池上彰の宗教がわかれば世界が見える　池上　彰
池上彰の「ニュース、そこからですか!?」　池上　彰
新・戦争論　池上　彰 佐藤　優
大世界史　池上　彰 佐藤　優
新・リーダー論　池上　彰 佐藤　優

第一次世界大戦はなぜ始まったのか　別宮暖朗
イスラーム国の衝撃　池内　恵
「ドイツ帝国」が世界を破滅させる　エマニュエル・トッド 堀　茂樹訳
シャルリとは誰か？　エマニュエル・トッド 堀　茂樹訳
問題は英国ではない、EUなのだ　エマニュエル・トッド 堀　茂樹訳
中国4・0　エドワード・ルトワック 奥山真司訳
戦争にチャンスを与えよ　エドワード・ルトワック 奥山真司訳
日本4・0　エドワード・ルトワック 奥山真司訳
21世紀 地政学入門　船橋洋一
地経学とは何か　船橋洋一
熱狂する「神の国」アメリカ　松本佐保
ドナルド・トランプ　佐藤伸行
大学入試問題で読み解く「超」世界史・日本史　片山杜秀
ベートーヴェンを聴けば世界史がわかる　片山杜秀
戦争を始めるのは誰か　渡辺惣樹
第二次世界大戦 アメリカの敗北　渡辺惣樹
米中激突　陳　破空 山田智美訳
知立国家 イスラエル　米山伸郎

1918年最強ドイツ軍はなぜ敗れたのか　飯倉　章
人に話したくなる世界史　玉木俊明
トランプ ロシアゲートの虚実　小川　聡 東　秀敏
世界史の新常識　文藝春秋編
ヘンリー王子とメーガン妃　亀甲博行
コロナ後の世界　ジャレド・ダイアモンド ポール・クルーグマン リンダ・グラットン マックス・テグマーク スティーブン・ピンカー スコット・ギャロウェイ 大野和基編
パンデミックの文明論　ヤマザキマリ 中野信子
盗まれたエジプト文明　篠田航一
歴史を活かす力　出口治明

## 文春新書好評既刊

池上 彰・佐藤 優

### 大世界史

現代を生きぬく最強の教科書

各地でさまざまな紛争が勃発する現代は、まるで新たな世界大戦の前夜だ。激動の世界を読み解く鍵は「歴史」にこそある！

1045

エマニュエル・トッド　ハジュン・チャン
柴山桂太　中野剛志　藤井聡　堀茂樹

### グローバリズムが世界を滅ぼす

世界デフレ不況下での自由貿易と規制緩和は、解決策となるどころか、経済危機をさらに悪化させるだけであることを明らかにする！

974

エマニュエル・トッド　堀茂樹訳

### 「ドイツ帝国」が世界を破滅させる

日本人への警告

ウクライナ問題の原因はロシアではなく、冷戦終結とEU統合によるドイツ帝国の東方拡大だ。ドイツ帝国がアメリカ帝国と激突する

1024

エマニュエル・トッド　堀茂樹訳

### シャルリとは誰か？

人種差別と没落する西欧

シャルリ・エブド襲撃を非難した「私はシャルリ」のデモは、表現の自由を謳うが、実は偽善的で排外主義的であることを明らかにする

1054

エマニュエル・トッド　堀茂樹訳

### 問題は英国ではない、EUなのだ

21世紀の新・国家論

袋小路に陥るEUに対し、英国EU離脱とトランプ旋風は、英米という発祥地でのグローバリズムの終焉と国家への回帰を意味する

1093

文藝春秋刊